[英国] 柯南·道尔 著
喵博士 改编

U0959468

大侦探福尔摩斯

SHERLOCK HOLMES

血字谜案

译林出版社

人物档案

华生

华生——医生，伦敦大学医学博士，福尔摩斯的最佳拍档。他用心记录下福尔摩斯精彩的破案过程，并公之于世。

福尔摩斯

福尔摩斯——闻名世界的大侦探，居住在英国伦敦的贝克街221B。他善于通过观察和推理来寻找事件的真相，破案时有如神助，总是能洞察一切。

雷斯垂德　葛莱森

雷斯垂德(左)、葛莱森(右)——伦敦警察局相对精明的警探，被福尔摩斯认为是一群蠢货中选出的佼佼者。他们俩傲慢自负，相互之间总喜欢明争暗斗。雷斯垂德身材矮小，葛莱森人高马大。

锥伯　斯坦杰逊

锥伯(左)——花园街凶案的被害人，长相狰狞。

斯坦杰逊(右)——锥伯的秘书。

导 言

花园街发生了一桩离奇的凶案：被害人身上没有伤痕，也没有血迹，但现场留下了一行神秘的血字，它真像福尔摩斯所说，代表“复仇”吗？当案件真相大白时，一段埋藏了二三十年的传奇故事浮出了水面……

目录

SHERLOCK HOLMES

SHERLOCK HOLMES

华生初识福尔摩斯

1878 年华生博士毕业。后来在伦敦，他第一次见到福尔摩斯。那时，他对这位大侦探还**一无所知**。

“华生，他这会儿应该在**实验室**。有时他在里面忙得**天昏地暗**的，一整天都不出来。他这人有点怪，你要跟他合租的话，可得考虑清楚了。”朋友小斯坦弗领着华生，来到了一家医院的侧楼。

他们七弯八绕地来到一间实验室。里面挺宽敞

的，但是乱七八糟地摆着各种瓶瓶罐罐。桌上一盏实验用的本生灯，正**噗噗噗**地闪着蓝色的火焰。

屋里没别人，只有一位先生趴在桌子上**聚精会神**地捣鼓着什么。他长着细长的鹰钩鼻，还有个突出的方下巴。一看到小斯坦弗，他就激动得跳了起来，手里举着一根试管，欢呼着冲了过来："快看快看！我有**重大发现**！**天大的发现**！"他的眼里闪烁着光芒，就像发现了金矿、宝藏一样！

小斯坦弗可能是习惯了他经常性的亢奋状态，只是微微一笑，说："嘿，福尔摩斯，这位是华生医生。他来是想跟你谈谈合租的事！"

"你好你好，医生。"福尔摩斯紧紧握住华生的手，力气大到让人不敢相信。接着，他轻描淡写地说了一句："我想，你应该去过阿富汗吧？""啊？"华生**大吃一惊**，他确实刚从阿富汗的战场上回来不久，"福尔摩斯先生，我们不是第一次见面吗？你，你怎么会知道我的情况？"

"这没什么难的。小斯坦弗可没告诉过我哟！"福尔摩斯狡黠地笑了笑，像是恶作剧成功的小男孩，"现在我们先说正事。我发现的这种试验品，可以检测出血红蛋白。华生医生，你一定能明白这有多重要吧？"

福尔摩斯的眼里充满了期待，华生却疑惑不解地摇了摇头。福尔摩斯着急了，有些不满地反问道：“哎，医生，你怎么会不明白呢？检测出血红蛋白，就相当于检测出了血液！有些案子，就是因为没法确定嫌疑人衣服上沾的斑点到底是血迹，还是果汁、泥点，所以才破不了案！现在，我已经攻克了这个**天大的难题**！华生医生，天大的难题被我攻克啦！来来来，我演示给你看。”福尔摩斯不由分说，把华生拉到他的工作台前。

“咱们弄点鲜血试试看。”福尔摩斯用针刺破了自己的手指，挤出一滴血，滴进了一瓶清水里。

“医生，你看，只滴一滴血进去，这瓶水看起来还是清水，对吧？”华生茫然地点点头。

福尔摩斯下巴微微一昂，得意地说：“现在来看看我的魔术！”他把几粒白色的颗粒放进那瓶水里，然后又滴了几滴透明的液体。真的像变魔术一样，这杯清水变成了暗红色的，一些棕色的颗粒慢慢沉到了瓶底。

“哈哈哈，**妙极了**！”福尔摩斯兴奋地拍着手，像是小孩子拿到心爱的玩具那样，**兴高采烈**地喊道，“看到了吧，医生，警察破案时，如果遇到可疑的斑点，只要用我的试剂一测，就知道是不是血迹了！这是多么重大的发现啊！”

福尔摩斯一边激动地说着话，一边把一小块膏药贴在手指的伤口上。他有些不好意思地向华生解释：“呵呵，我老是和**毒药**打交道，要是伤口不小心感染，可能会没命的。”华生看到他的手上贴满了类似的膏药，有些地方还被腐蚀得褪了色，应该都是做实验造成的。

这时候，小斯坦弗说：“好啦，别光顾着说实验，还是来谈谈合租的事情吧。”

华生点点头，说：“福尔摩斯先生，听说你找了间不错的房子。我一个人在伦敦，住旅馆实在太贵了，如果能合租的话……”

“太棒了！”福尔摩斯高兴地说，“医生，我看中了贝克街上的一套公寓，两个人住正合适。”接着，他们说了说各自的生活习惯，竟然聊得很投缘。于是，两人**一拍即合**，约好第二天中午去看房子。

离开医院时，华生心头还有个疑云没有消散，他忍不住问小斯坦弗：“真是太奇怪了，你说，福尔摩斯先生怎么会知道我去过阿富汗呢？”

小斯坦弗**意味深长**地笑了笑，说：“这就是他厉害的地方，你以后就知道了。”

SHERLOCK HOLMES

神奇的演绎法

没过多久，两人便搬进了贝克街 221B 的公寓。

华生的身体不太好。他之前在阿富汗的战场上受过枪伤，落下了病根，因此他经常待在屋里，难得在天气好的时候才出去走走。

在他们俩合租的最初一两个星期，这间公寓一个客人也没有。华生还以为，福尔摩斯也跟他一样，孤零零的没什么朋友。可没过多久，华生就发现自己的想法**大错特错**了。经常有**各种各样**的人到公寓来找福尔摩斯：有年轻时髦的姑娘；有衣衫褴褛的老人；还有个看起来贼眉鼠眼的小个子，来找过他好几次……福尔摩斯说，这些人**都是他的顾客**。

“怎么会有这么多奇奇怪怪的顾客？福尔摩斯到底是做什么的？”华生心想。他有好几次想直接问福尔摩斯，但又不好意思。没过多久，福尔摩斯自己揭晓了答案。

那天，华生吃早餐时，看到桌上有一本杂志，里面有篇文章，上面被人用笔画了几条线。

“这文章真是夸张。”华生不屑地往下看。文章写道：“善于观察的人，看到一个陌生人，马上就能**推测出**他的职业。他的手指甲、衣服袖子、手上的茧子……这些全都是线索。要是看到这些还说不出答案，那就太差劲了。”

看到这里，华生忍不住把杂志往桌上一摔，说：“简直是鬼话连篇！什么神奇的观察？照这么说，世上人人都是神了！”

一旁的福尔摩斯问道：“**哪篇文章**惹到你了？”

“哦，就是这篇。”华生指给福尔摩斯看，“三岁小孩都不会上他的当！我真想把他关进火车车厢，让他说说看，车厢里的每个人都是干什么的！哼！我敢打赌，他立马就会露出狐狸尾巴！”

“是吗？医生，那我要告诉你一个坏消息，你输了。”福尔摩斯懒洋洋地说，“这篇文章**是我写的**。”

“啊？你写的？”华生惊讶得张大了嘴巴。

“呵呵！观察和推理是我的绝活，我就靠这个挣钱养活我自己。”

华生好奇地问：“那你是？”

福尔摩斯笑着说：“算是‘咨询侦探’吧。警察或是别的侦

探要是破不了案，会来找我帮忙。一般来说，我听他们讲讲案子情况，就可以告诉他们答案。遇到特别复杂的案子，我才会去现场侦查。哈哈，全世界估计**只有我一个人**是干这行的!”

华生还是不敢相信：“这么说，你就是侦探中的侦探喽？别的警察、侦探到了现场还破不了案，但你连门都不用出，光听他们说说，就能解决问题？”他忍不住在心里暗暗嘀咕：“真会**吹牛**！”

福尔摩斯大概是从华生的眼睛里看出了他的疑惑，淡淡地说了句：“我第一次见你的时候就说过吧，你去过阿富汗。”

华生瞪大了眼睛，说：“没错，我是去过。但我敢说，肯定是有人告诉过你！”

福尔摩斯摇了摇头，说：“用不着别人告诉我。我一眼就看出来了。”

福尔摩斯小露本领

福尔摩斯吐了口烟圈，轻描淡写地说："知道你去过阿富汗并不难。那天小斯坦弗介绍说，你是个医生，而你身上又有一副军人的派头，显然，你是个**军医**。你脸色黝黑，但是手腕上的皮肤很白，这说明你的皮肤不是天生黑，而是被晒黑的。你能晒得这么黑，铁定是刚从气候炎热的地方回来的。另外，你应该受过伤，因为你的左肩有些僵硬，脸色也很**憔悴**。你说说，一个英国的军医在气候炎热的地方吃过苦，受过伤，这能是什么地方呢？当然只能是爆发战争的阿富汗了。"

华生有点佩服福尔摩斯了，他真诚地夸赞道："哇！听你这么一解释，这件事就变得相当简单了呢。你就像是小说家爱伦·坡的侦探小说中的人物——大侦探迪潘。你真厉害！想不到现实中还真有这样的人物。"

没想到，福尔摩斯听了华生的赞美并不开心，他轻蔑

地哼了一声，说：“医生，你一定觉得，把我和书里的大侦探迪潘相提并论，是在夸奖我。但是，在我看来，他那只是雕虫小技。”

华生听到这话，有点恼怒地走到窗口，自言自语：“这个人也许是很聪明，但也太骄傲自大了吧。”

他们的公寓位于二楼。这时，华生看到楼下的马路上有

一个体格魁梧、衣着朴素的人在快步走着，好像在寻找门牌号码。他的手中拿着一个**蓝色大信封**，大概是要送信吧。华生故意挑衅地问道：“哎，福尔摩斯，你来看看，那个人在找什么？你应该一看就知道吧？”福尔摩斯朝窗外瞥了一眼，说道：“你是说那个海军陆战队的退伍士官？”

华生心中暗暗冷笑道：“呵，这家伙又开始**吹牛**了。”

他正想着，街上的那个人却好像发现了什么，飞快地从街对面朝他们的公寓跑了过来。几秒钟后，先是听见楼下一阵急促的敲门声，一楼的房东太太回应后，没一会儿，楼梯上便响起了**噔噔噔**的脚步声。

那人一走进餐厅，就问：“哪位是福尔摩斯先生？这里有他的一封信。”华生暗自得意：“哈！刚才福尔摩斯**信口开河**，胡编乱造，肯定没想到这人会上门来吧。”华生按捺住兴奋之情，尽量用平静的声音问道：“你好，请问你是干什么的？”

“邮局送信的，先生，”那人粗声粗气地回答说，“我的制服拿去补了，所以没穿。”

华生稍稍有些激动地追问道：“那以前呢？以前你还做过什么？”“先生，我在海军陆战队当过士官。您还有什么事吗？没事我就告辞了。”说完，送信人碰了下脚跟，抬手敬了个**标准的军礼**，昂首阔步地走了出去。

华生实在是太震惊了，语无伦次地说：“你……你……福尔摩斯先生，这次你又是怎么推断出来的？”

“很简单，隔着马路我就看见了，那人手背上文着一只蓝色的**大锚**，那是海员才有的。他的举止也充满军人气概。凭借这些，我推断，他是个海军陆战队队员。同时他的下巴抬得老高，好像带着一种**发号施令**的神气。这样一个稳健又严肃的中年男人，多半当过士官。”

听完福尔摩斯的分析，华生情不自禁地赞叹道：“太妙了，你真是让我**大开眼界**。”

福尔摩斯只是淡淡笑了笑，克制着心中的得意之情，接着便低头看刚刚收到的信。他把信递给华生，表情变得严肃起来，说：“医生你看，有案子来了！”

一封求助信

亲爱的福尔摩斯先生：

昨天晚上，在劳瑞斯顿花园街3号发生了一个离奇的案件。凌晨两点左右，巡逻的警察发现一栋平时没人住的房子亮起了灯光。他警觉地过去查看，发现果然出大事了！只见房门大开，地板上躺着一位先生，已经死了。被害人衣着整齐，没有被抢劫过的迹象。他的身上没有任何伤痕，但地上有几处血迹。这个案子相当棘手，不知您可否到现场助我一臂之力？

您的朋友：葛莱森

“葛莱森是谁？”华生读完信，好奇地问道。“他呀，”福尔摩斯拿起手中的**烟斗**吸了一口说，“和雷斯垂德一样，都是伦敦警察局的警探。跟傻瓜比起来，他们俩还算是有点脑子的，就是有点小心眼，见不得对方好，喜欢窝里斗。要是这两个人都插手这起案件的话，哼哼，准保闹出大笑话。”

华生好奇地问道：“你要去**案发现场**吗？”

“让我想想。”福尔摩斯懒洋洋地吐了个烟圈，“这帮警探啊，总把功劳全部算在自己头上，就想让我帮他们白干活。不过嘛……去凑凑热闹也行，至少可以嘲笑他们一番。”福尔摩斯又振作了起来，说：“走！医生，一块儿瞧瞧去。”华生瞪大眼睛用手指着自己说：“我？”

福尔摩斯笑了起来，说：“哈哈，就是你，反正闲着也是闲着，你是医生，说不定还能帮上忙。”

很快，他们雇了辆马车朝案发现场赶去。那天是个**阴霾天**，城市上空像是笼罩着一层厚重的灰纱。华生有些紧张不安，他的同伴福尔摩斯却悠闲自在，好像一点儿也不为案件烦恼。

眼看着就要到达目的地了，福尔摩斯突然高声喊道：“车夫，停车，快停车！”他们俩下了马车，一块儿步行前往案发现场。华生着实被吓了一大跳，心里嘀咕着："奇怪，明明离目的地还有一百多米，为什么非要**提前下车**呢？"

前面不远处就是发生凶案的劳瑞斯顿花园街 3 号了。华生抬头往四周看了看，这一带有四栋房子，都离街道比较远。发生凶案的房子，窗户上布满了灰尘和蜘蛛网，尘封的玻璃上贴着"招租"广告，一幅凄凉的景象。看得出来，这房子确实很久没人住了。门前是个小花园，里面杂草丛生，一条用泥土和石子铺成的小路从房子通向街道。昨晚下过大雨，这条小路已经**泥泞不堪**。

华生急着想进去看案发现场，没想到，福尔摩斯却不紧不慢地在外面的马路上走来走去，一会儿低头注视地面，一会儿又抬头望望天空和对面的房子。终于，他来到了发生凶案的房子前，走进小花园。嗯？他为什么不走花园里的小路，反而从小路旁的草地上慢慢地穿过去，一边走，一边还**目不转睛**地扭头盯着小路的路面？他的脸上偶尔还露出笑容，点头低声说："有意思，有意思！"

福尔摩斯发现了什么线索吗？华生学着他的样子，盯着潮湿泥泞的小路看了又看。路面上确实有许多**脚印**，但看上去乱糟糟的，警察们都来来回回踩了好几遍，还能有什

招租
招租

么线索啊？

这时，房子的门口出现了一个头发浅黄、肤色白皙的高个子男人。他一看见福尔摩斯，就立刻热情地迎上来，说道："侦探，你来啦，实在太好了！你看，案发现场还维持原状呢，就等你了。"

"是吗，葛莱森大侦探？"福尔摩斯跟这位警探打了声招呼，指着花园里的小路说，"我看，那里就维持得不太好吧！不知道的，还以为有一群**水牛**从那里走过呢。"

高个子警探葛莱森连忙推卸责任说："我，我在屋里忙，屋外的事归我同事管。哎，雷斯垂德呢？他这个人是怎么办事的？"

福尔摩斯扬了扬眉毛，挖苦道："有你和雷斯垂德这两位'大人物'在场，估计我也发现不了什么新的线索啰！对了，你没有坐**马车**来吗？"

葛莱森诧异地回答道："啊？哦……没有，先生。"

"雷斯垂德呢？"

"他也没有。"

"那还算好，不然就更糟了。行了，咱们到屋里去瞧瞧吧。"福尔摩斯也不多做解释，迈开腿向屋里走去。

遗落现场的戒指

惨案就发生在这里。屋里的光线十分昏暗，给一切笼罩了一层灰暗的色调。再加上到处积着厚厚的灰，更增添了一股**阴森的气氛**。

被害人看起来四十多岁，中等身材，宽宽的肩膀，黑黑的头发，还留着又短又硬的胡子。他穿得很体面，身旁有一顶干净的礼帽，但他的长相十分凶恶。华生心里响起一个强烈的声音："这人长得**穷凶极恶**，我真的没法同情他！"

正在这时，一名小个子警探走了进来。华生觉得他十分面熟。哦，想起来了！他之前来公寓找过福尔摩斯好几回，个子小小的，看起来**贼眉鼠眼**的，原来竟是名警探！福尔摩斯叫他"雷斯垂德"。雷斯垂德垂头丧气地说："朋友们！这个案子真是绝了！我当了这么多年侦探，还从来没见过这么离奇的事。侦查了这么久，竟然一点儿线索也没有！"

福尔摩斯没工夫搭理他，跪在地上把被害人从头到脚仔细检查了一遍。“被害人身上没有伤痕。那么，地上的血迹一定是另一个人的，也许，正是凶手的。”福尔摩斯的语气十分笃定。突然，他凑到**被害人**面前，脸都快贴到对方的嘴了！这个举动可把华生吓了一跳。只见他像猎犬一样吸着鼻子，在被害人的嘴边闻了又闻。过了好一会儿，他直起身，扭头瞧了一眼被害人的漆皮靴子的靴底，再站起来拍拍身上的灰尘，说：“都检查好了，把他抬走吧。”

警探的手下立刻围上前把被害人抬起来。突然，哐当一声，一个小巧的金属物件滚落到了地板上。小个子警探雷斯垂德眼疾手快，一个箭步冲上去捡了起来，惊呼道：“戒指！是女士的**戒指**！一定有个女人来过这里！”

“不会吧，”高个子警探葛莱森抱怨道，“哎呀，这样一来，案情更复杂了！我的天哪，本来就够麻烦的了。”

福尔摩斯拍了拍他的肩膀，平静地说道：“是吗？我倒是觉得，这枚戒指会让案子更清楚一些呢！别盯着它看了，你还在被害人的衣服口袋里找出什么了吗？”

“有！都在这里了，”高个子警探葛莱森指着一堆清理好的东西说，“有一只金表、一条挺重的金链子，还有金戒指、金别针，对了，别针上有个斗牛犬的脑袋，眼睛闪闪发亮，是红宝石做的！你别说，这人还挺有钱的。哦，对了，还有他的名片，看起来是个美国人。”葛莱森把被害人的名片递给福尔摩斯，上面写着：锥伯，美国俄亥俄州克利夫兰市人。

他接着说："被害人没带钱包，只有些零钱，还有一本书，扉页上写着一个名字——斯坦杰逊。对了，我们还发现了两封信——一封就是寄给这个斯坦杰逊的，另一封是给被害人锥伯的。"

"斯坦杰逊……"福尔摩斯**若有所思**地说。高个子警探葛莱森赶紧补充道："现在我们还不知道斯坦杰逊是谁，但他肯定跟这起案件有关。我已经在报纸上登了**寻人启事**，还给美国克利夫兰那边发了电报，打听这个人。""嗯……那两封信是谁寄来的？"福尔摩斯神情严肃地问道。

"都是轮船公司寄来的开船时刻表，通知他们从利物浦回美国的船什么时候出发。我看这个倒霉的家伙应该是准备坐船回美国的。"

这时，小个子警探雷斯垂德在房间的一个阴暗角落喊了起来："快来看，这里有个**重大发现**！"见大家围上前去，他搓着手，两眼发光地说："多亏我这么细心，不然咱们可就把这么重要的线索给漏掉了！"他似乎在努力克制着狂喜，显然是觉得，这回他把所有人都赢了！刺啦——雷斯垂德划燃一根火柴，照亮了墙角的墙壁，他得意地说道："诸位好好看看吧！"

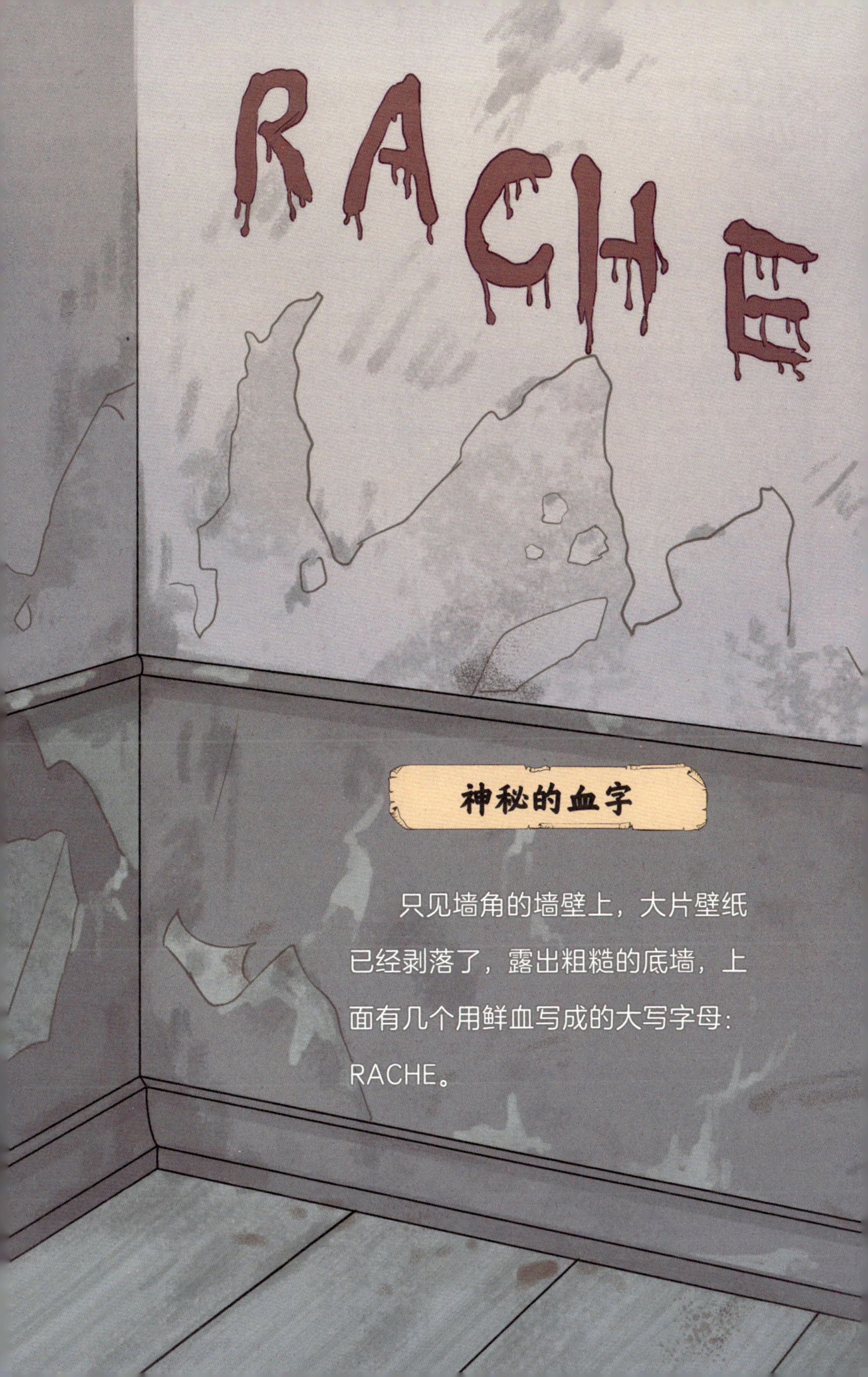

神秘的血字

只见墙角的墙壁上，大片壁纸已经剥落了，露出粗糙的底墙，上面有几个用鲜血写成的大写字母：RACHE。

“诸位！有什么想法吗？”小个子警探雷斯垂德像是马戏团的老板一样，**手舞足蹈**地夸耀自己的把戏，“这是房间里最暗的角落。我敢说，除了我，没人会注意到这里。这绝对是凶手写的！那么……问题来了，他为什么选择在这么黑暗的角落里写呢？”雷斯垂德用老鼠一样狡黠的眼睛，扫视着现场所有人，接着高傲地说：“哈哈，**让我来告诉你们答案吧**！凶案发生在晚上，当时，壁炉台上的蜡烛肯定是亮着的。所以那时候，这个墙角是屋里最亮的地方，而不是最暗的！”

“哦？是吗？”高个子警探葛莱森可不愿被同事占了上风，他不屑地说，“哼，发现了这些字又有什么意义呢？”

“什么意义？”雷斯垂德恼羞成怒，张牙舞爪地说，“你们还看不出来吗？这是一个**女人的名字**啊！你看，RACHE，如果后面加上一个L，就是雷切尔！凶手肯定是没来得及写最后那个字母。葛莱森，你就等着瞧吧！等案件水落石出，看是不是跟一个叫雷切尔的女人有关！”说着，他又转过身来，**得意扬扬**地向福尔摩斯炫耀：“先生，要我说，你也算是相当聪明能干了。但真遇到大事，比起我，你还是差了那么一点点。姜还是老的辣呀！哈哈哈哈！”

福尔摩斯听了这话，不禁放声大笑：“哈哈哈！你确实是最早发现**血字**的。好啦，如果你们不反对的话，我想检查一下这间屋子。”

他利索地从口袋里掏出**卷尺**和**放大镜**，在屋子里快步地走来走去，每个角落都不放过。他大概是太投入了，仿佛完全忘了周围还有其他人的存在。他嘴里不停地发出各种各样的声音，一会儿惊呼，一会儿叹气，一会儿又吹起愉快的口哨。华生看到他这既专心又兴奋的样子，脑海中浮现出一种动物，那就是**训练有素的猎犬**。福尔摩斯工作的样子，多像是猎犬在丛林中敏捷地跑来跑去呀，他是决不会错过猎物的任何踪迹的。

大约过了二十分钟，福尔摩斯终于检查完了，他吐了口气，脸上的表情……嗯，看起来像是很满意。

一旁的两名警探看着福尔摩斯，像是在看什么古怪而又可笑的物种。小个子警探雷斯垂德嗤笑着问道：“怎么样？福尔摩斯先生，有什么新线索吗？”福尔摩斯凝神想了一会儿，说：“嗯……一开始发现凶案的那位**巡警**在哪里？我想跟他谈谈。”

小个子警探雷斯垂德翻开笔记本查看了一番，抬头说：“哦，是约翰，他已经下班回家了，我把他的地址给你。”

福尔摩斯记下地址后，头一扬，说：“我现在去找他。走之前，我要送你们一个大礼包！”

“什么大礼包？”

福尔摩斯**气定神闲**地说：“凶手是个男人，一米八左右，年富力强。他穿着一双方头靴子，抽的是印度雪茄。他和被害人一起，坐一辆**四轮马车**来到这里。拉车的那匹马有三只马蹄铁是旧的，但右前蹄的马蹄铁是新换的。他可能是个**大红脸**，右手的指甲很长。好啦，暂时就这么多了。”

两名警探的脸上露出了难以置信的表情。小个子警探雷斯垂德追问道：“那你说，死者到底是怎么死的？”

“被毒死的。”福尔摩斯说完，**大步流星**地向外走去。走到门口时，他突然停了下来，转过头嘲弄地眨了眨眼睛，说：“对了，雷斯垂德，别浪费时间去找那位叫雷切尔的女士了。在德语里，‘RACHE’这个词，是‘**复仇**’的意思。”说完，他和华生径直离开了现场，留下那两名自作聪明的警探目瞪口呆地站在原地。

福尔摩斯揭晓了诸多答案：

1. 凶手是个一米八左右的男人，年富力强。

2. 他穿着一双方头靴子，抽的是印度雪茄。

3. 他和被害人一起，坐一辆四轮马车来到这里。

4. 拉车的那匹马有三只马蹄铁是旧的，但右前蹄的马蹄铁是新换的。

5. 他可能是个大红脸，右手的指甲很长。

6. 墙上的血字“RACHE”在德语里是“复仇”的意思。

经历了刚才的一切，华生心里也充满了疑惑和好奇。福尔摩斯是怎么知道的？只是在房间里这么看了看，他就知道了凶手的身高和年龄，甚至说他是个大红脸。还有，现场根本没有烟头，怎么可能**推测出**他抽的是什么烟呢？总之，福尔摩斯的话太不可思议了！

揭秘诸多谜团

福尔摩斯顾不得解释什么，带上华生先去了附近的电报局，拍了一封很长的电报，接着又乘坐马车，去找那位最早发现凶案的巡警——约翰。

华生还没有从刚才的震惊中缓过神来，他疑惑地问道："福尔摩斯，你太让我吃惊了！这些情况，你都是怎么知道的？你真的那么有把握吗？"

"我说的一点儿都错不了！这很简单，"福尔摩斯轻快地回答道，"快到那所房子的时候，我就注意到了，路面上有明显的**马车车轮印**，看得出来，马车在这房子前停过。"

"难怪你要提前下车，你就是为了好好查看这些马车车轮印吧？"

"没错！天气帮了我们的忙。这一周基本都是晴天，路面又干又硬，马车经过不会留下很深的印记。唯独昨天晚上下了大雨，路面变得**泥泞不堪**。所以，这么深的车轮印，一定是昨晚下雨后留下的！对了，你记不记得我刚才问了警探，确定他们今天都没坐马车，并且今天早晨也没有其他马车来过。那么显而易见，车轮印一定是昨晚留下的。马车停过的地方，出现了**两对脚印**，脚印一直延伸到了屋里。你明白了吧？凶手和死者一定就是乘坐那辆马车来的。至于马蹄铁的事嘛，你没注意到吗？其中有一个马蹄印比其他三个都清楚得多，这说明那只马蹄铁是新换的。”

“有道理！有道理！”华生惊叹地连连点头，“但凶手的身高你是怎么知道的？”

“一个人的身高，可以根据他的**脚步**来估算，一般来说，步子迈得越大，身高就越高。不过，我还有另一条线索，那就是**墙上的字**。人们在墙上写字的时候，通常会把字写在和眼睛差不多的高度。根据墙上那些字的高度，也可以推断出，他的身高在一米八左右。”

“原来如此！但你怎么知道他年富力强呢？”华生急于想知道所有的答案，迫切地追问道。

“这个就更简单啦，”福尔摩斯慵懒地靠在座椅上说，“你还记得吧，花园里有个一米多宽的大水洼，从方头靴子留下的脚印看，分明是一步迈过去的。你说，如果是一个走路颤颤巍巍的老头，能做得到吗？医生，你还有什么想不通的地方吗？”

“有！手指甲和印度雪茄呢？”华生问道。福尔摩斯像是对待好学的学生一样，耐心地解释说：“墙上的字是一个人用食指蘸着血写下的。我用**放大镜**查看时，发现有些**墙粉**被刮了下来，这说明他的指甲很长。我还从地板上收集到一些散落的**烟灰**，从烟灰的颜色和形状看，一定是印度雪茄。哈哈！说起来，我可是这方面的专家呢。不是我吹牛，只要是大众熟悉的雪茄或是香烟牌子，我看一眼烟灰，立马就能认出来。”

“还有那个红脸的问题呢？”华生急着追问。这时，福尔摩斯的语气显然不像刚才那么信心十足了，他谨慎地说：“那是一个比较大胆的推测，不过目前我得保密。”

福尔摩斯**抽丝剥茧**般的分析让华生想得头疼，他用手摸了摸额头，长叹一声，说：“唉，我已经被弄得晕头转向了，越想越觉得奇怪。比如说，如果真是两个人的话，那这两个人是怎样进房间的？送他们的马车夫又在哪里？死者为什么会服毒？血又是从哪里来的？凶手的目的是什么？还有，为什么会有一枚女人的戒指？最重要的是，凶手在逃走之前为什么要用德文写下‘复仇’呢？福尔摩斯，还有这么多谜团，我真的想不明白。”

福尔摩斯赞许地笑了起来，他毫不吝啬对华生的夸奖：“医生，你的思路很清晰，把案件的疑点总结得**简明扼要**，很好！我其实也只是查出了大概情节，还有很多不明确的地方。至于墙上的血字，我想，那只不过是一个圈套，想要让我们误以为这起凶案是德国的某些秘密团体干的。”

“福尔摩斯，你怎么知道凶手是在**误导**我们呢？”

“呵呵，我一看就知道，那血字是模仿德国人写的。真正的德国人根本不会那么写字，比如，德国人写字母 A 的时候，跟他的写法完全不同。呵，这凶手模仿德文的功夫太差劲了，真是**画蛇添足**。”

福尔摩斯换了个姿势，继续说道：“对了，我还可以再告诉你一件事：凶手和死者是坐同一辆马车来的。他们一起从花园走过，进了屋子以后，还在里面走来走去。嗯……更确切地说，穿漆皮靴子的被害人一直站着不动，而穿方头靴子的凶手却不停地来回走动。这些我是根据地板上的尘土分析出来的。同时我还看出，凶手越走越激动，因为他的步子越来越大。我想，他一定是边走边骂，最终**怒火冲天**，于是，悲剧就发生了。”

福尔摩斯的分析让华生大开眼界。而此时，马车正咔嗒咔嗒地朝约翰巡警家奔去。

一枚金币的诱惑

福尔摩斯和华生坐着马车穿过昏暗的大街、破败的小巷，最后停在一个荒凉的巷口。下车后，两人又穿过一条狭窄的小巷，走到一个方方正正的大院子前。院子里的房子又简陋又肮脏。他们俩**小心翼翼**地避开一群追逐打闹的小孩，又钻过一排排凌乱的晾晒着的旧衣服，最后终于找到了约翰巡警家。

约翰这时正在睡觉，听说有人来找他询问案情，很不情愿地从床上爬了起来。他**睡眼惺忪**，嘟囔着对两位来访者抱怨道："嗯，该说的我全都说了，警察局里不是有记录了吗？"

福尔摩斯从衣袋里掏出一枚**金币**，不慌不忙地在手中把玩着："我们希望能亲耳听你再说一遍，如果能说得更详细些，那就再好不过了！"

约翰两眼发光地盯着那枚金币，睡意早被抛到了九霄云外。他咽了咽口水，热心地说："先生，您想听事情的经过，

是吗？我都讲给您听！”

约翰在会客厅的沙发上坐了下来。他眉头紧锁，看起来是在努力回忆每一个细节，那一本正经的神情，真像是马上就要登台表演似的。“嗯，我从头讲起吧。昨晚下雨前，我巡逻的地段一切都很平静。凌晨一点，下起了大雨。这时我刚好碰到了负责隔壁区域的同事，我们就站在街角聊了会儿天，聊到差不多**凌晨两点**，才又分开各自巡逻了。唉，真见鬼！我巡逻的那条路又泥泞又偏僻，一路上连个人影儿都没有，只有一两辆马车从我旁边嗖地驶过。我慢慢溜达着，寻思着要是能喝几杯热乎乎的杜松子酒该多好啊！走着走着，哎哟，要讲到重点了！我突然注意到，花园街 3 号的房子窗口竟然亮着灯光。那房子明明已经很久没人住了！我吓了一大跳。肯定有什么**不对劲**！于是，我飞快地跑了过去，到了大门口——”

福尔摩斯突然插了一句：“到了大门口，你就站住了，然后又转身走向外面的小花园。约翰，你为什么要那样做呢？”

约翰巡警吓得从沙发上弹了起来，待重新坐稳后，他捂着胸口，眼睛瞪得老大，死死地盯着福尔摩斯说：“老天爷呀！您，您是怎么知道的？我——是这样的。”

福尔摩斯平静地说：“没事，你接着往下讲吧。”

约翰**语无伦次**地说：“哦……哦……那我接着讲。”他深吸了一大口气，继续说：“当时我跑到了大门口，正要一脚迈进去，突然有点害怕，便转身跑了出去，想看看能不能叫上刚才那个同事一块儿进去，但我在路边等了半天都没看到他的人影。他应该是早就去别的地方巡逻了。街上冷冷清清的，一个人影也没有，连条狗都没有！”说到这里，约翰的情绪有些激动，他停下来平复了一下心情，继续说道：“我不敢跑远去找同事，只好鼓起勇气又走了回去。我**心惊胆战**地把房门推开，里面静悄悄的，壁炉台上点着一支蜡烛，烛光被风吹得摇曳不定。然后……然后我就看到地上——”

“好了，这段我们都知道了。对了，你当时在屋子里走了几圈，然后蹲下来查看被害人，接着又起身去推了推厨房的门，后来——”

约翰听到这里，脸色变得煞白，眼里充满了恐惧，他用颤抖的声音问道：“你，你是谁？你当时躲在什么地方偷看？我看，你跟这事脱不了干系！”福尔摩斯笑了起来，他拿出自己的名片递给约翰，开玩笑地说：“巡警先生，我只是一名侦探，是帮助人的猎犬，不是害人的狼。这一点，葛莱森警探他们都能证明。现在你可以继续讲下去了。”

约翰重新坐了下来，一边怀疑地打量着福尔摩斯，一边说：“我看到发生了这么重大的案子，立马跑到大门口吹起警笛：‘嘀——嘀——嘀——。’没过多久，其他警察就赶到了。”福尔摩斯又问：“当时街上还是什么人都没有吗？”“深更半夜的，正经人早就回家了，谁会那时候出来呀？”说完，他皱了下眉头，又补充道，“哦，对了，我出来的时候，碰到过一个**酒鬼**。”

错失良机

约翰巡警接着说：“那家伙喝得烂醉如泥，站都站不稳。他靠着花园的栏杆，放开喉咙不知道在瞎唱着什么，难听死了。”

福尔摩斯立刻警觉地问道：“那人长什么样？你看到他的脸了吗？”见福尔摩斯老是打岔，约翰有些不高兴，嘟囔着：

“看到了，看到了！他是一个**高个子**，**脸红红的**，下巴上……”福尔摩斯又打断了约翰，急切地说：“够了够了！后来呢？后来他去哪里了？”

约翰颇为不满地说：“我们当时忙得焦头烂额，哪有工夫去管他呀！我把他扶了起来，让他别在这里发酒疯。我敢打赌，他肯定是自个儿回家了。”

福尔摩斯像连珠炮一样继续追问：“他穿的是什么衣服？”

“一件**棕色外衣**。”

“手里有没有拿马鞭？”

“马鞭？没有。”

“那他一定是把马鞭丢哪里了。”福尔摩斯**自言自语**道。接着他问了最后一个问题：“后来你还看见或听见马车经过吗？”“没有，绝对没有！”约翰肯定地回答。

“好了，这枚金币是你的了。”福尔摩斯站起身来。他拍拍约翰的肩膀，遗憾地摇了摇头，说：“约翰，我看，你在警察局怕是没什么升官的机会了。你的脑袋不应该只是个装饰品啊！这么好的机会，就这么被你**错过**了。记住，你说的那个酒鬼，是这起凶案的关键人物！如果你当时抓住了他，应该可以捞个官当当。不过现在说这些也晚了。医生，我们走吧。”福尔摩斯和华生离开了约翰家，只留下约翰呆呆地站着，半天回不过神来。

回家的路上，福尔摩斯越想越生气，狠狠地骂道：“约翰这个大傻瓜！一个**千载难逢**的好机会，居然就这么白白放过了！”

华生疑惑不解地问道：“福尔摩斯，如果那个酒鬼是凶手的话，他在作案后为什么还要**冒险回去**呢？”

“戒指！医生！我敢保证，他回来就是为了取回戒指！”说到这里，福尔摩斯的脸上突然露出了欣喜的笑容，“干脆，咱们就拿这枚戒指当**诱饵**，引他上钩。我一定会逮住他的，医生，我敢和你打个赌，凶手逃不出我的手掌心！对了，这起案件这么与众不同，给它取个名字如何？叫什么呢？嗯，就叫‘**血字谜案**’，怎么样？好了，现在我们先去吃个饭，下午我还要去听音乐会呢。诺尔曼的小提琴拉得真是太好了！”有了新思路以后，福尔摩斯的心情变得愉悦起来，他靠在马车上，像云雀似的哼起了小提琴的曲子：“哩哩啦——哩哩啦——”

布下诱饵

福尔摩斯对于凶手的一些推测，在约翰巡警那里得到了证实。下午，福尔摩斯**神采奕奕**地去听小提琴音乐会了。而华生呢，折腾了一上午，又累又困，他的身体有点吃不消，现在只想好好睡上一觉。可真等他躺下，大脑却活跃起来，被害人那张凶狠的脸浮现在他眼前。“真是奇怪，世上怎么会有这样的人，一看脸，就觉得他**恶贯满盈**，做尽了坏事。啊，不对！我怎么能有这样的想法？我们必须揪出凶手，让他得到应有的惩罚。”华生心想。

差不多晚饭时间，福尔摩斯才回来。“今天的音乐会真是精彩！”福尔摩斯**眉飞色舞**地讲起了他对音乐的见解。他是个音乐爱好者，平时自己也喜欢拉小提琴，而且拉得相当不错，但华生看起来兴致不高。福尔摩斯关切地问道：“怎么回事？医生，你今天有点不对劲哪，还在想那个案子吗？”华生挠挠头，说：“说实在的，我一整天都心神不宁，有时还感到后背发凉。我也是上过战场的人，心理素质怎么会这么差？”

福尔摩斯拍了拍华生的肩膀，说：“这很正常。对了，医生，你看过今天的**晚报**了吗？晚报详细报道了这起案件。但是幸好，他们没提到那枚女士戒指，这帮了我大忙。”华生连忙问道：“福尔摩斯，你是不是有办法啦？”

“你先看看这个吧，”福尔摩斯把一份报纸递给华生说，“我在去听音乐会之前，抓紧时间去了一趟报馆，发了这则《失物招领》。”华生顺着福尔摩斯的手指看去，上面写着：

失物招领

今早在劳瑞斯顿花园街的白鹿酒馆附近，捡到一枚女士戒指。请失主于今晚八点至九点，到贝克街 221B 华生医生处认领。

“医生，我没经你同意就把你的名字写上去了，你可别生气，”福尔摩斯主动解释说，“要是用我自己的名字，那些笨蛋侦探看到了，可能会傻乎乎地跑来插手，没准要把事情搅黄。”华生大度地说：“这没什么，不过，要是真有人来认领，那我可拿不出戒指呀。”

“别担心，”福尔摩斯像**变戏法**一样，变出一枚戒指，“你看，一模一样吧，准能对付过去。”

华生惊讶地问道：“你去哪里弄了这么一枚假戒指？”福尔摩斯笑着说：“我自有办法。到时候，就等那个穿棕色外衣、方头靴子的红脸朋友**自投罗网**吧。就算他自己不来，也一定会让他的同伙过来。”

华生大吃一惊，问道：“凶手会这么傻？他这么做不怕暴露自己吗？”福尔摩斯微微扬起下巴说：“我敢打包票，凶手无论冒怎样的风险，都要拿回这枚戒指。我猜，戒指是他在弯腰察看被害人的时候，不小心掉下来的。等离开那房子以后，他才发现戒指丢了，于是又急忙跑了回去。但这时，警察已经赶到了现场。医生，你想想，在这种特殊的时候，他刚好在房子周围出现，肯定很容易被怀疑，对吧？所以凶手立刻装作烂醉如泥的样子，骗过了警察。我们的这个对手，还挺聪明的。”

看到华生恍然大悟的样子，福尔摩斯满意地点点头，继续点拨道：“你不妨**设身处地**想一想，凶手也可能心存侥幸，认为戒指没有掉在案发现场，而是掉在路上了。这时他会怎么办呢？他肯定会到处找，也会特别留意报纸上《失物招领》栏的广告。我保证，他要是看到了我的广告，一定会喜出望外。哈哈哈，那时**鱼儿就上钩了**。医生，他一定会来的。一小时内，你准能见到他！”

“啊？真的？那他来了以后呢？我们该怎么办？”听到福尔摩斯说凶手会乖乖自投罗网，华生既兴奋又紧张。

不速之客

福尔摩斯目光冷峻而坚定地说："交给我吧，我来对付他。嗯……医生，你有什么武器吗？"华生想了想，说："我有一把以前在军队里用过的**手枪**，还有一些子弹。"福尔摩斯叮嘱道："医生，你最好先把枪擦亮，再装上子弹。这家伙是个**亡命之徒**，我们还是得小心防范。"华生连连点头。过了一会儿，华生从卧室拿出枪来，眉头拧成一团，看起来万分紧张，而福尔摩斯正悠闲地拨弄着小提琴。他抬头看了华生一眼，说："又有新消息了！我之前往美国发过一封电报，刚刚收到了回电。这更证明我对这案子的推测是正确的。"

华生迫不及待地问："是吗？电报上说了什么？"福尔摩斯没有回答华生的问题，而是平静地说："医生，你把枪放到衣服口袋里。那家伙进来后，你一定要保持冷静，用最自然的方式接待他，以免**打草惊蛇**。其他的我来应付。"华生看了一眼怀表，深吸了一口气，说："福尔摩斯，现在已经八点了。”福尔摩斯依然十分镇定，看不出任何异常。他拿出一本泛黄的书，一边翻阅一边念叨：“是啊，说不定下一秒凶手就到了。医生，把门再推开一些。行了。谢谢你！你看，这是我昨天在书摊上买到的一本旧书，”福尔摩斯突然顿住，低声说道，“医生，我们等的人来了。”话音刚落，刺耳的门铃声**丁零丁零**地响了起来。

华生竖起耳朵听，先是听到楼下的女仆急匆匆地跑过门廊开门的声音。很快，有人上楼来了，脚步声沉重而拖沓，听起来不像是腿脚很利索的人。福尔摩斯也专心地听着，他的脸上露出了诧异的神情。**咚咚咚**！外面响起了敲门声。华生高声说：“请进！”一个人应声走了进来。

福尔摩斯和华生完全愣住了。这位**不速之客**，并不是他们俩预料中的强壮男人，而是一位满脸皱纹的**老太太**。老人颤颤巍巍地走进房间，突然被明亮的灯光一照，她好像花了眼似的，身体一晃，险些没站稳。老人回过神来，笨拙地行过礼后，眯着眼打量了两人老半天，然后问道：“哪位是华生医生？”华生尽量用自然的语气说：“我就是。”

福尔摩斯看起来很失望，怏怏不乐地耷拉着脑袋。华生只好装出一副**泰然自若**的样子应付场面。老人用颤抖的手摸索着衣服口袋，掏出一张报纸，用手指着《失物招领》栏的广告说：“好心的先生，我是为这件事情来的。”说着，她又深深地鞠了一躬，然后絮絮叨叨地说：“报纸上说，你们在花园街的白鹿酒馆附近捡到一枚**戒指**。那八成是我女儿赛莉的，要是她丈夫发现戒指丢了，肯定得大发脾气。对不起，是这么回事，昨天晚上我女儿去了马戏团看马戏，是和——”

“这是她的戒指吗？”华生并不关心与案情无关的事，他

SHERLOCK HOLMES

直接拿出戒指问道。老人兴奋地尖叫了一声，脸上露出灿烂的笑容："谢天谢地！就是这个！我女儿一定会高兴得发疯。"华生拿起一支铅笔，一边询问，一边做记录："老人家，您怎么称呼？住在哪里？""我叫索叶，住在邓肯街13号，离这里远着呢。"老人说。

一直沉默的福尔摩斯猛然抬头，板着脸质问道："老人家，据我所知，从邓肯街到马戏团，中途根本不会路过白鹿酒馆，你女儿的戒指怎么会掉在那里呢？"老人转过脸去，用

她红红的眼睛狠狠地瞪了福尔摩斯一眼，然后不满地说道：“那位先生刚才是在问我的住址。我女儿又不跟我住一块儿，她的住址离白鹿酒馆很近。”

华生看到福尔摩斯在向他使眼色，立刻心·领神会。他打断了老人的话，装作很高兴的样子，把戒指交给了老人：“索叶太太，看来这枚戒指真是你女儿的，现在物归原主。”

行动失败

老人拿到戒指后，嘟囔着说了一万遍感激的话，然后蹒跚地走出去了。她刚走出房门，福尔摩斯就站起身来，迅速穿上大衣，系好围巾，仓促地交代华生说：“这个老太太肯定是凶手的同伙，我去**跟踪**她。医生，你先别睡，等我的好消息！”说完，福尔摩斯推开房门大跨步地追了出去。

华生走到窗户旁向外张望，只见那个老人**有气无力**地走在马路上，福尔摩斯谨慎地尾随在她身后。看来，福尔摩斯这次是决心直捣虎穴。

福尔摩斯走的时候，并没有说他什么时候回来，华生只好呆坐着，百无聊赖地翻看闲书打发时间。将近半夜十二点，华生终于听到开门的声音，他激动地站了起来。

只见福尔摩斯垂头丧气地走进了房间，他的脸上仿佛写着四个大字：**行动失败**！沉默了一小会儿，福尔摩斯突然放声大笑：“哈哈，医生，今天这事，你知我知，绝对不能让警察局的人知道。太丢脸了！要是被他们知道，指不定会怎么嘲笑我。哼，不过，就算他们知道了也没什么，反正这案子我一定能破！”

福尔摩斯怪异的举止让华生摸不着头脑，他着急地问道：“福尔摩斯，你不是去**跟踪**凶手的同伙了吗？到底发生了什么？”

福尔摩斯吐了口气，说：“医生，我把人**跟丢了**。唉！我跟你说说这次失败的经历吧。那老太太没走多远，就开始一瘸一拐好像走不动的样子。她叫了一辆路过的马车，我清楚地听到她跟车夫说：‘去邓肯街 13 号。’那老太太一上车，我就赶紧追了过去，悄悄扒在那辆马车后面。医生，这可是当侦探的必备绝活，你看，就像这样！”福尔摩斯手舞足蹈地比画着扒马车的样子。

接着他又说：“一路上，马车根本没停过，径直到了目的地。快到的时候，我提前跳下车，假装在马路上闲逛。没一会儿，马车停了，可半天没见人下来，只听到车夫大喊大叫：‘人呢？老太太人呢？可恶！她没付钱就偷溜啦，真是个大骗子！’华生，那老太太早就**跳车跑了**！把我给气的呀！”

福尔摩斯告诉华生，他不死心，还特意去 13 号打听了一下。结果，那里住的只是一位老老实实的手艺人，根本没有什么叫索叶的老人家。

“什么！福尔摩斯，你是说那个身体虚弱、走不动路的老太太，居然在你和车夫的眼皮子底下溜走了？怎么可能！她是什么时候跳车逃跑的？”华生惊奇地大叫。

福尔摩斯愤怒地说：“什么老太太，我都快气炸了！咱们两个才是老太太呢，居然上了别人的当！他一定是个精明能干的年轻小伙子！只不过他擅长**乔装打扮**，扮演老太太真是**惟妙惟肖**，把我们俩都骗了。路上，他又趁我没注意，脚底抹油，溜之大吉。看来凶手还真是不简单，身边竟然有这么厉害的帮手。唉！算了，算了。”福尔摩斯无奈地摇了摇头，“医生，明天再想办法吧。你也累坏了，早点休息。”

华生确实感到身心疲惫，他转身回了卧室。福尔摩斯**心事重重**地坐到壁炉边，拉起了他的小提琴。琴声忧郁低沉，像极了他现在的心情。

贝克街侦查小分队

第二天早上，福尔摩斯和华生在屋里继续讨论着案情，楼下突然响起了一阵乱糟糟的脚步声，其中还夹杂着房东太太的尖叫声：“噢！天哪！这群小叫花子是从哪里来的？喂！站住！你们往哪里跑？”

“这是怎么了？”华生站起身，想要开门看看。

“别担心，是**贝克街侦查小分队**出动啦！”福尔摩斯双手抱在胸前，呵呵地笑着。话音刚落，六个街头流浪儿就急匆匆地冲了进来。他们一个个灰头土脸，**衣衫褴褛**，像是刚从土堆里钻出来的。福尔摩斯对华生介绍道：“他们都是我的得力助手！我破案少不了他们的帮忙。”

说完，他转向孩子们：“立正——！”只见在他一声令下，六个孩子立刻**整整齐齐**站成一排，腰板挺得笔直笔直的。福尔摩斯说：“以后维金斯一个人上来报告就可以了，其他人都在街上等着，不要把房东太太吓着了，知道了吗？维金

斯，你们找到那个人了吗？”那个叫维金斯的孩子估计是这群孩子的小队长，他摇了摇头，说：“对不起，先生，我们还没有找到。”

“那就接着找，一定要把他找出来。好孩子，这是你们这几天的工钱。”福尔摩斯说着，递了些零钱给他们。“去吧！等你们的好消息。”说完，福尔摩斯挥了挥手。这群孩子立刻像一窝小老鼠似的窜下楼去。没一会儿，街上就传来了他们嘻嘻哈哈的打闹声。福尔摩斯站在窗户边，满意地看着他的侦查小分队，说：“医生，别小看这些小家伙，警探去不了的地方，他们都能去，警探问不出的事情，他们也都能打听到。哈哈，他们就像针尖一样，无孔不入。”

正说着，福尔摩斯突然看到了窗外一张熟悉的脸，笑呵呵地说：“那不是高个子警探葛莱森吗？呵呵！今天有好戏看了！看他那得意的样子，准是要来炫耀什么。”果然，楼下门铃响了。一眨眼的工夫，葛莱森已经闯进了二楼客厅，径直冲到福尔摩斯面前。他紧紧握住福尔摩斯的手说：“朋友！祝贺我吧！我已经把案子查得清清楚楚了！”

“嗯？”福尔摩斯暗暗想着，“这么快就有结果了？比我还快？”他脸上闪过一丝焦虑的神情，开口问道：“是吗？你都查清楚了？”葛莱森一边得意地搓着手，一边挺起胸脯傲慢地说：“是的，朋友！我已经把凶手抓起来了，是一个叫阿瑟的海军中尉！”

听了这话，福尔摩斯松了一口气，不觉微笑起来，心想：“这傻乎乎的葛莱森**抓错人了**。过不了多久，他就会发现自己大错特错了。”

想到这里，福尔摩斯突然有点同情葛莱森了。他客气地说：“葛莱森，请坐，我很想知道你是怎么抓住凶手的。要喝点儿水吗？”“喝点儿吧，”葛莱森大模大样地坐到沙发上，抱怨说，“这两天费了不少功夫，可把我累坏了。不过还好，我的付出都是有回报的，不像雷斯垂德那个大傻瓜，哈哈哈！”

葛莱森坐直身子，兴奋地说：“福尔摩斯，你还记得斯坦杰逊这个名字吗？这名字写在被害人身上的那本书的扉页上。我们后来查到了，他是**被害人的秘书**。雷斯垂德那个死脑筋，一直在调查斯坦杰逊。可是，斯坦杰逊跟这个案件哪有什么关系？哈哈哈，他真是白费功夫！”一想到自己的同事雷斯垂德**焦头烂额**的样子，高个子警探葛莱森就忍不住哈哈大笑，笑得差点儿喘不过气来。

葛莱森的新发现

福尔摩斯饶有兴味地问高个子警探葛莱森：“那么，你是怎么找到重要线索的呢？”提起这个，葛莱森的尾巴快要翘到天上去了，他骄傲地说：“朋友，我们首先得弄清楚被害人是什么来头。你还记得他身边的那顶帽子吗？”“记得，”福尔摩斯点点头说，“那帽子是在安德乌父子的店里买的。”

葛莱森惊讶地挑了挑眉，脸上露出沮丧的神情：“想不到你也注意到这一点了。那你去那家**帽子店**了吗？”

“没有。”

“啊——”葛莱森长舒一口气，笑眯眯地说，“福尔摩斯先生，你不该轻易放过这些细节。好吧，还是让我接着讲吧。我找到帽子店的店主，查了售货本，这帽子就是被害人本人买走的。**重点来了**！本子上登记了他的住址！先生，他就住在夏朋婕太太的公寓里！”

“漂亮，干得非常漂亮！”福尔摩斯低声称赞。

警探葛莱森听到赞语后，更加得意了。他把他拜访夏朋婕太太的情况眉飞色舞地描绘了一番。

他拿到地址后，立刻去拜访了夏朋婕太太。当时她的女儿也在——那是一个非常漂亮的年轻姑娘。葛莱森亮明自己的警察身份后，夏朋婕太太的表情**骤然大变**，眼睛突然泛红，嘴唇不停地颤抖，好像随时都要晕过去似的。这引起了葛莱森的怀疑，他故意问道：“您以前的房客——锥伯先生被人**杀害**了，太太，你们……知道这事吗？”夏朋婕太太勉强点了点头，她女儿却突然哭了起来。

看到她们俩的反应，葛莱森心里有了定论：这对母女肯定和锥伯的死有关。于是葛莱森又问道：“锥伯先生那天是什么时候离开公寓的？”“晚上八点，他们要坐火车去利物浦，然后从那里坐船回美国。”夏朋婕太太不住地咽着口水，想要平复自己激动的情绪，“他的秘书斯坦杰逊先生一直在说：‘快赶不上火车了，我们得抓紧时间。’”

“这是你们最后一次见面吗？”葛莱森这个问题像一支**毒箭**，射中了夏朋婕太太的心，只见她的脸唰地失去了血色，过了好半天，她才从牙缝里挤出一句话："是，是最后一次。"

没想到，她的女儿竟然开口说："妈妈，说谎是没有用的，我们还是跟警察先生坦白吧。先生，锥伯后来回来过。""噢！我的天哪！你在胡说些什么！"夏朋婕太太痛苦地尖叫起来，她用手死死地捂住自己的脸，喊道，"你可把你哥哥害惨了！"

"哥哥？太太，您还有个儿子，是吗？"葛莱森眼睛一亮，冷酷地说道，"太太，您最好把事情的经过**老老实实**全部讲出来。没有什么事能瞒得住我！"

夏朋婕太太悲哀地恳求道："先生，我告诉你，我全都告诉你。我不是故意要说谎，我是怕你们**冤枉**我的儿子。我儿子阿瑟不可能杀人，真的，他不可能杀人！你们放过他吧。"

真凶另有其人

葛莱森警探对夏朋婕太太厉声喝道："那你就老实说清楚，这到底是怎么回事！"夏朋婕太太擦掉了眼泪，怨恨地说："三个星期前，锥伯先生和他的秘书斯坦杰逊先生住进了我的公寓。他们俩好像一直在欧洲旅游，没有固定的住所。秘书斯坦杰逊先生**沉默寡言**，很有礼貌；可他的主人——锥伯先生，真是太可恶了。这个人举止粗野，品行不端，一

天到晚喝得烂醉，还总是对女仆们**动手动脚**，有时候甚至故意接近我女儿……我从没见过这么不要脸的无赖！”“那你一开始为什么不撵他走？你是公寓的主人，你有这个权利！”葛莱森尖锐地质问道。

夏朋婕太太的脸一下子涨得通红，她尴尬地说：“因为……因为钱，他们俩给的房钱很丰厚。先生，你不知道，现在是淡季，公寓的生意不好。我是个寡妇，丈夫早就去世了。我得挣钱让两个孩子过得好一点，所以，我舍不得这笔收入啊。可是后来那可恶的锥伯越闹越不像话，我实在受不了，这才下了**逐客令**。那天晚上八点多，他们俩就搬走了。”

“后来呢？”

“后来我亲眼看着那瘟神坐上马车走了，心里的大石头才落了地。但我万万没想到，锥伯走了还不到一个钟头，居然又回来了！他又**喝得烂醉**，拎着个酒瓶，摇摇晃晃闯进屋来，嘴里骂骂咧咧，一会儿说没有赶上火车，一会儿又怂恿我女儿和他私奔。我女儿吓坏了，一边躲一边哭。该死的锥伯，他一把抓住我女儿的手腕，硬要把她往门外拖，我根本拦不住。就在这个时候，我儿子阿瑟休假回来了。他是海军中尉，看到最疼爱的妹妹被人欺负，气得失去了理智，按住锥伯就是一顿暴打。锥伯逃跑后，阿瑟又拎起一根木棍追了出去。谁知……第二天早晨……我们……我们就听到了锥伯**被人谋杀**的消息……”

“你说阿瑟追了出去，那他后来是几点回来的？”葛莱森问道。

“我不知道，我十一点就睡了。”

“晚上九点多追了出去，到十一点你睡觉前还没回来，也就是说，你儿子至少出去了两个小时？”葛莱森追问道。

“嗯，是吧。”

“有没有可能他出去了四五个小时？”葛莱森紧盯着这位女士，继续追问。

“也……也有可能。”夏朋婕太太的嘴唇都吓白了。

“在那段时间里，他都干了些什么？”

“我……我也不知道。”面对葛莱森警探的**步步紧逼**，这位可怜的女士终于承受不住，精神崩溃，大哭起来。

“太太，也就是说，你儿子很有可能在那晚杀了人，是吗？”葛莱森冷笑着。他认定阿瑟就是凶手，于是不顾夏朋婕太太的苦苦哀求，立刻带着警察找到阿瑟并**逮捕**了他。

葛莱森讲完他的破案经过后，得意地对福尔摩斯说：

“朋友，我已经猜到阿瑟是怎么行凶的了。他追了出去，在花园街附近抓住锥伯，两人吵了起来。争吵之间，阿瑟猛地打了锥伯一棍子，可能正好打在了锥伯的心窝上，所以锥伯一命呜呼，没救了，但身上看不到任何伤痕。那天晚上，雨下得很大，街上又没有人，阿瑟就把人拖到了附近的空屋子里。至于那些蜡烛啊，血迹啊，还有墙上的字和遗落的戒指，都是阿瑟故意设下的圈套，不过是想误导我们罢了。”

福尔摩斯心里暗暗发笑：“这家伙，完全走错了方向。”但他依然以称赞的口气说：“太棒了！葛莱森，你真是大有长进哪，看来你迟早会**出人头地**的！”

葛莱森自豪地扬起下巴说：“确实，我也认为这案子办得**干净利落**。不过这个叫阿瑟的小伙子还嘴硬，不肯承认自己杀了锥伯。他说当时他是追了出去，但没多久锥伯就跳上一辆马车**逃走**了。切，这小子的鬼话，我才不信呢！哈哈，最好笑的是雷斯垂德，他从一开始就搞错了方向，只能白费力气啦！嘿！说曹操，曹操就到，你看，他也来了。”

新的被害人

果然，进门的正是小个子警探雷斯垂德。他神色慌张，愁容满面，衣冠不整，往日那种扬扬自得的神气，现在全不见啦。他这会儿过来，显然是有求于福尔摩斯。

“哦……哦，葛莱森，你也在这里啊。”小个子警探雷斯垂德看到同事后，变得扭捏不安起来。他两只手不住地摆弄着帽子，十分局促地说：“这真是个**离奇的案子**，太不可思议了。”高个子警探葛莱森下巴一扬，幸灾乐祸地说：“尊敬的雷斯垂德先生，您也这样觉得？找到您的斯坦杰逊了吗？”小个子警探雷斯垂德语气沉重地说：“找到了，斯坦杰逊今天早晨六点钟左右被人**杀害**了。”

“什么！”高个子警探葛莱森猛地从沙发上跳了起来，把身旁的水杯都打翻了。雷斯垂德带来的消息太突然了，所有人都**惊愕不已**。福尔摩斯抿着嘴，眉头紧锁，自言自语道：“斯坦杰逊也被杀害了，这下案情更加复杂了。”

高个子警探葛莱森不死心，他**结结巴巴**地问道："你，你这消息可靠吗？"小个子警探雷斯垂德咽了咽口水说："当然可靠，就是我第一个发现的。我刚从他遇害的地方回来。"听到这话，高个子警探葛莱森惊呆了。他两眼呆滞，口中念念有词："斯坦杰逊这时候死了，那就说明，我抓住的阿瑟根本不是凶手，**真凶另有其人**。"

福尔摩斯点了点头。他又问小个子警探雷斯垂德："嘿，说说你这边是怎么回事吧。"

小个子警探雷斯垂德坐了下来，简略地交代说："各位，其实从一开始，我就认定锥伯的死和斯坦杰逊有关。于是我**想方设法**寻找这位秘书的下落。在案发当晚八点半左右，有人在火车站看见他们俩待在一起。而第二天凌晨两点，锥伯就被发现遇害了。我想弄清楚，从晚上八点半到锥伯被害，这段时间斯坦杰逊在干什么，后来他又去了哪里。

"于是我把车站附近的旅馆和公寓都找了个遍。今天终于有消息了。早晨八点，我找到了一家叫郝黎代的旅馆。旅馆老板说，确实有一位叫斯坦杰逊的先生住在这里，他好像在等人，已经等了两天了。

"旅馆的伙计热心地领我去三楼斯坦杰逊的房间，我们刚走到门口，你们猜怎么着？

“我们发现斯坦杰逊倒在地上的血泊中，已经死了。而且，案发现场也留下了一模一样的血字——RACHE。”

听到这里，福尔摩斯等人都安静了下来。这么看来，这两个案件的凶手应该是**同一个人**，他的作案手法如此神秘、特别，他到底想做什么？

小个子警探雷斯垂德接着说：“其实有人见过凶手。有个送牛奶的孩子一大早路过旅馆后面的小巷子，他看到有一架梯子正对着三楼的窗户，一个男人从梯子上**不慌不忙**地下来。孩子还以为是旅馆的木匠早起干活了。哦，我问过孩子那人的样貌，他隐约记得那人是个**大高个**，**脸红红的**，身上穿着一件长长的**棕色外衣**。”

“大高个、红脸，这不是跟福尔摩斯之前推断的凶手的特征一模一样吗？”华生心里暗暗赞叹，但福尔摩斯的脸上并没有丝毫得意的神色。他眉头紧锁，严肃地问道：“雷斯垂德，你发现了什么有用的线索吗？”“没有。”雷斯垂德失落地摇了摇头，“秘书斯坦杰逊身上的钱一分不少，凶手肯定不是为了钱。现场也没留下什么日记或信件。”

福尔摩斯不甘心地追问道：“其他的呢？你再好好想想，还有什么别的东西吗？”“真的没有了！”雷斯垂德不耐烦地说，“床上有一本书，嗯……桌上有一杯水。窗台上还有一个装药的盒子，里边有**两粒药丸**。”

“药丸？那就对了！”福尔摩斯猛地站了起来，眉飞色舞地大声宣布，“朋友们！药丸就是最关键的信息，这下我的推论总算是完整了。”雷斯垂德**满腹狐疑**地问道：“就凭这两粒不起眼的药丸？”

药丸的秘密

福尔摩斯信心十足地说起了**药丸的秘密**："整个事情的经过我都弄清楚了！来，我证明给你们看。雷斯垂德，你把那两粒药丸都带来了吗？"

"在这里。"小个子警探雷斯垂德说着，掏出一个小盒子。福尔摩斯拿出药丸，眯着眼仔细查看了一番，转过身对华生说："医生，你看看，它们是平常的药丸吗？"这两粒药丸又小又圆，看起来非常特别，它们有着珍珠般的灰白色，迎着亮光看，几乎是透明的。华生回答说："它们又小又轻，半透明，我想应该可以**溶于水中**。"

"我想也是，"福尔摩斯满意地微笑着，又说道，"医生，请你帮我一个忙，帮我把楼下那条可怜的老狗抱上来吧。它病得很重，房东太太昨天还说要想办法把它处理了，免得让它活受罪。"

华生下楼把狗抱了上来。这条可怜的老狗呼吸困难，目光呆滞，被病痛折磨得不成样子，看起来生不如死。福尔摩斯拿出药丸，把其中的一粒**切成两半**，一半扔进一杯水里，另一半则放回盒子里。他一边操作一边说："大家看这杯水，药丸很快就会**溶化**。"

"呵，这可真有意思，但是我看不出来这和斯坦杰逊的死有什么关系！"雷斯垂德有些生气，他以为福尔摩斯是在捉弄他们。

"耐心点，我的朋友，耐心点！马上你就能知道药丸的秘密了。"福尔摩斯不再搭理雷斯垂德，他专心地看着杯子里的药丸完全溶化到了水中，自言自语道："再加点牛奶，它就好喝了。"

福尔摩斯把加了药水的牛奶倒进盘子里，放在老狗面前，说："喝吧，喝了它，你就能解脱了。"老狗伸出舌头，

把盘子舔了个底朝天。

福尔摩斯相信，这药丸能让可怜的老狗结束生命。大家都端坐着，**全神贯注**地盯着那条狗，看它会不会死去。

福尔摩斯掏出怀表，秒针嘀嗒嘀嗒地走着，等了好久，那条狗还是老样子，依旧躺在垫子上，吃力地呼吸着。很明显，**药丸没起什么作用**。

“怎么会这样？”福尔摩斯的脸上渐渐浮现出了懊恼和失望的神情。他不甘心地咬着嘴唇，手指一直**咚咚咚**地敲着桌子。

两位警探的脸上露出了讥讽的笑容。

“不可能！不可能！绝对有问题！”福尔摩斯烦躁地走来走去，嘴里不停地嘟囔着，“不可能只是巧合呀。之前我就怀疑，锥伯死前服下了某种药丸。现在，斯坦杰逊这里也发现了药丸。照理说，它们应该是一样的，吃了会立刻送命。但是，这条可怜的老狗为什么没有反应呢？我敢肯定，我的推论不可能有错！除非……”

福尔摩斯灵光一现：“哦，我明白了！我明白了！”他高兴地大喊了一声，然后冲到药盒前，取出**另外一粒**药丸，把它也切成两半。接着，他重复了刚才的步骤，把半粒药丸溶解在水里，加上牛奶，放在狗的面前。这回，不幸的老狗只是舔了舔液体，舌头还没有完全沾湿呢，就像被电击一样，全身剧烈地颤抖起来。几秒钟的工夫，它就直挺挺地死去了。也许，这样死去对它是件好事吧，它终于不用再忍受无尽的病痛折磨了。

福尔摩斯长长地呼了一口气，用衣袖擦了擦额头上的汗珠，说："我早该想到，那个小盒子里的两粒药丸不一样：**一粒无毒**，**另一粒却有剧毒**。好了，我已经知道凶手是谁了！"

出其不意的收网

福尔摩斯说知道凶手是谁了。小个子警探雷斯垂德和高个子警探葛莱森**面面相觑**，无法理解福尔摩斯是怎么知道的，难不成药丸上写了凶手的名字？福尔摩斯**滔滔不绝**地讲起了他的**破案理论**。

葛莱森不耐烦地打断了他："行啦行啦！简单点吧，我就问你，你能说出凶手的名字吗？"

"就是，快说呀！"雷斯垂德也激动地附和着。就连华生也焦虑地劝说道："福尔摩斯，我们得抓紧时间哪！再不把凶手抓起来，他可就要去杀第三个人了。"

大家的一再追问似乎让福尔摩斯有些矛盾。他垂着头，眉头紧锁，不停地在房间里走来走去，好像在权衡利弊。最后，他站定了，对着大家说："你们放心吧，**不会再有**谋杀案发生了，这点我可以保证。但仅仅知道凶手的名字是没用的，我们真正要做的，是抓住凶手。凶手像狐狸一样狡猾，他可能还有个好帮手。”福尔摩斯停顿了一下，看着两个警探说：“恕我直言，你们俩绝对不是他们的对手。为了避免**打草惊蛇**，我暂时不能说出我的抓捕计划。不过我保证，事成之后，一定回答你们所有的问题。”

什么？福尔摩斯居然看不起堂堂警察局的警探？高个子警探葛莱森听到福尔摩斯的嘲讽，别提有多生气了，他满脸涨得通红，连头皮都快变成红色的了；而小个子警探雷斯垂德呢，也瞪着一双滚圆的眼睛，看起来既诧异又恼怒。**咚咚咚**！**咚咚咚**！突然有人敲门，门开了，原来是贝克街侦查小分队的维金斯。

维金斯欢快地跑到福尔摩斯面前，说：“先生，请吧，马车已经叫来了，就在楼下。”福尔摩斯眼前一亮，脸上露出了异常惊喜的表情：“好孩子，我知道了。”接着，他从抽屉里拿出一副**钢手铐**，对那两位警探嘲弄了一番：“朋友，你们警察局为什么不换成这样的手铐呢？”他一面说着，一面展示：“瞧！这手铐多好用，轻轻一碰就铐上了。”

雷斯垂德气鼓鼓地哼了一声，不屑地说道：“只要能抓住那个人就行！我们的老式手铐足够用了。”“很好，很好。”福尔摩斯笑着说，“维金斯，我的行李箱有点重，你让**马车夫**

上来帮帮忙。快去吧！”

华生心里犯起了嘀咕：“他这是要出远门吗？我可从来没听他说起过。”

福尔摩斯从屋里拉出了一个行李箱，然后俯身用皮带把箱子捆扎起来。他正忙活的时候，马车夫到了：“先生，我上来搬行李箱。”福尔摩斯还蹲在那里摆弄着箱子，头也不回地说：“怎么会扣不上呢？哎，车夫，你来得正好，过来帮我扣一下这个皮带扣。”

车夫拉长了脸，不情愿地走到福尔摩斯面前，他伸出手正要帮忙，说时迟，那时快，只听**咔嗒一声**，钢手铐铐在了马车夫的手上。福尔摩斯猛地跳起来，掷地有声地对大家说：“让我来给你们介绍一下，这位侯波先生就是杀死两位被害人的**凶手**！”

看着闪亮的手铐像变魔术一般，一下就铐上了自己的手腕，马车夫的脸上露出了**惊愕而茫然**的表情。华生他们也像塑像似的呆了一两秒钟。

马车夫率先反应过来，他愤怒地大吼一声：“啊——”再猛地一转身，挣脱了福尔摩斯的控制，向窗户冲去。他冲击的力量实在是太大了，把窗户的玻璃撞得粉碎。

胸腔里的异常跳动

说时迟，那时快，马车夫还没来得及跳出窗外，福尔摩斯他们就像猎狗似的一拥而上，一把把他揪了回来。一场激烈的打斗开始了。马车夫**凶猛地搏斗**着，好像不要命了似的。他的脸和手在跳窗时被玻璃划伤了，伤口血流不止，即便这样，他也没有减弱攻击力度。直到小个子警探雷斯垂德用手卡住他的脖子，勒得他透不过气来，他才最终放弃了挣扎。大家连忙拿绳子把他的手脚捆绑了起来。捆绑好以后，他们才终于站直身子，大口大口地喘着粗气。

“刚……刚好，他的马车就在楼下，”福尔摩斯上气不接下气地说，“就用他的马车把他送到**警察局**去吧。好了，先生们，这个神秘的案子，总算可以告一段落了。”

凶手侯波对福尔摩斯他们并没有恶意。被制服以后，他反而轻松地微笑起来，很有礼貌地说：“抱歉，各位先生，希望刚才没有伤到你们。你们是要把我送到警察局去吧？请把我的腿松开，我可以自己走下去。”两名警探惊讶地交换了下眼神，一个凶犯竟敢提这么大胆的要求？但福尔摩斯同意了，他毫不犹豫地松开了侯波脚上的绳子。

侯波站起来，注视着福尔摩斯，由衷地**夸赞**道：“先生，如果警察局长的位置有空缺，您一定是最合适的人选。”

不一会儿，凶手侯波被带到了警察局。一位警官问：“侯波先生，过几天你将会被审讯。在审讯之前，你还有什么要交代的吗？”

侯波想了一会儿，缓缓说道：“诸位先生，我有许多话要说。是时候**原原本本**地说出来了。”警官不悦地说道：“如果是关于凶案的情况，我希望你留到审讯时再说。”侯波却幽幽地说了一句：“或许我永远不会受到审讯呢？”看到大家脸上露出的诧异表情，侯波憨厚地笑道：“你们不要担心，我不是想自杀。这位先生，你是医生吗？”他说这句话时，转过头来看着华生。华生点了点头。“那么，请你用手按一下这里。”他用手指着自己的胸口说道。华生用手按了按侯波的胸部，突然神色一变，他觉察到胸腔里有一种**异常的跳动**。那感觉就像是在一座不坚固的房子里，开动了一台动力强劲的机器。华生惊叫道：“怎么回事？难道你得了主动脉瘤？！得了这种病，随时都会有生命危险！”

侯波平静地说：“我知道，嗯，大家都这么说。上星期我找一位医生瞧过。他对我说，过不了多少天，血管瘤就要破裂，我也会死去。当年，在盐湖城的大山里，我挨饿受冻，过度操劳，过的不是人过的日子，所以得了这病。已经好多年了，情况一年比一年坏。”他说起这些时，像是回到了往昔，脸上也露出了坦然的笑容：“不过现在，我已经**复仇**成功，什么时候死都无所谓了。但在死之前，我想把一些事情说清楚，也许你们会觉得，我并不是一个冷酷无情的杀人狂魔。”警官们你看看我，我看看你，最终同意他说下去。

“我保证，我所说的每一句话，都**千真万确**。我已经是快进坟墓的人了，没必要对你们说谎。至于你们要怎么处置我，我并不在乎。”侯波缓缓地讲起了一个很长很长的故事。

荒漠中的流浪汉

这个故事要从遥远的三十多年前说起。

那时，在北美洲中部，有一大片干旱苍茫的**荒凉之地**：那里有常年积雪的高山、阴沉昏暗的深谷，还有无边无际的荒原。没人在那里居住，只有秃鹫在空中翱翔，不时还有灰熊在深谷出没。铁青色的天空，灰蒙蒙的大地，那里的一切都写着两个字——凄凉。

一天，在**一望无际**的荒原中，出现了一个**流浪者**。他看起来很古怪，像个妖怪似的。棕色的皮肤像干羊皮一样包裹着瘦削的脸；花白的头发和胡子又长又乱；眼睛深陷，闪着怪异的光；手里紧握着一支来复枪，看他那握枪的手啊，比枯树枝也多不了几两肉。他又渴又饿，靠着那支长枪勉强支撑着身体。

他如果再喝不到水，怕是要死在这里了。他挣扎着爬上一块高地，向**四面八方**望去。“水，哪里有水？”在他面前，只有**无边无际**的荒原和**连绵不断**的荒山。

“罢了罢了，死在这里，和二十年后死在床上又有什么区别呢？”他喃喃自语，拖着沉重的脚步，挪到一块大石头边上，一边坐下，一边把背在肩上的大包袱拿下来。

他的手没抓稳，扑通一声包袱摔在了地上。“哇——哇——”包袱里突然传出了哭声，一个眼睛亮晶晶的小女孩从里面钻了出来。她大概五岁，穿着粉红色的衣服，精致的小皮鞋，小手胖乎乎的，脸上有一对浅浅的酒窝。“你把我摔痛啦！”小女孩一边嘟着嘴抱怨，一边委屈地揉着后脑勺。流浪者紧张地问道：“孩子，怎么样了？摔疼了吗？抱歉，我不是故意的。”小女孩指了指自己的脑袋，认真地说：“疼，但你亲亲这里就好了。我每次摔倒，**妈妈**都会这样做。叔叔，我妈妈去哪里了？”这个流浪者叫费瑞尔。

“你妈妈……”费瑞尔摸了摸小女孩的头，温柔地说，“你妈妈走了。”“什么？走了？她去哪里了？”小女孩没听懂费瑞尔的话，她噘起嘴，不开心地说道：“真奇怪，妈妈怎么不和我说一声呢？我都三天没看到她了。叔叔，叔叔，我好渴呀，这里什么吃的喝的都没有吗？”

“没有了，孩子。你忍一忍，过一会儿就会好的。来，靠在我身上，这样你会舒服一些。”费瑞尔舔了舔干裂的嘴唇，低沉地说，“有些事情我必须告诉你，你好好听着。不久前，咱们的车队在沙漠里**迷路**了，找不到水源，后来，食物吃光了，水……”

“水也没有了。”小女孩稚气地说道。费瑞尔难过地点了点头，说：“然后……然后车队的人就一个个……死去了。”“你是说……我妈妈也死了？”小女孩突然醒悟过来，眼眶里立刻蓄满了泪水，她用袖子捂住脸，**呜呜呜**地哭了起来。

“对，他们都走了，只剩下你和我。我找了很久很久，还是**没有找到水源**。咱们可能也……活不了了。”费瑞尔愧疚地说着，抬头凝视着天空。

天幕下出现了三个黑点，朝他们快速地移动。黑点变得越来越大，越来越大。原来，是三只秃鹫！凶猛的秃鹫在这两个可怜人的头顶来回盘旋，接着不怀好意地落在了附近的一块大石头上，似乎在耐心地等待一顿美餐。

迁徙者

“哇！是公鸡和母鸡！”小女孩不知道秃鹫有多凶狠，她**连连拍着小手**，快活地欢呼着。费瑞尔浑身无力，实在没办法站起来赶走秃鹫。他紧紧搂住小女孩的肩膀，绝望地说：“孩子，快睡吧，睡着了就能见到妈妈了。”

孩子安心地倚在他宽阔的胸膛上，甜甜地睡着了。费瑞尔**三天三夜**没有合过眼，此时，他的眼皮越来越沉，脑袋也渐渐地垂到了胸前。两人都沉沉入睡了。

在他们睡着后不久，地平线的尽头扬起了烟尘。在烟尘弥漫之中，出现了篷车和骑手的身影。啊，是一支**浩浩荡荡**的篷车队！车队正向着这两个可怜人的方向前进。

忽然，一个眼光锐利的年轻小伙子惊叫起来，他指着面前的那处高地喊道：“快看！”在那光秃秃的山顶上，有什么粉红色的东西在摆动。

“小心，有敌人！”骑手们立刻警觉地勒住缰绳，握紧了枪。十几个勇敢的骑手翻身下马，沿着峻峭的山坡向上攀登。他们警惕地前进，越来越接近那团粉红色的东西。等看清后，他们全都愣住了：哪有什么敌人？只不过是两个可怜人在睡觉！一个是高大而憔悴的男子，一个是他搂着的可爱的小女孩。那团粉红色的东西，正是小女孩的衣服。

三只秃鹫原本**虎视眈眈**地站在一块大石头上，见到这么多人赶来，它们失望极了。到了嘴边的美餐看来没机会吃了！它们发出几声悲哀的鸣叫，扑打着翅膀飞走了。秃鹫的叫声惊醒了熟睡的人。费瑞尔睁开眼睛，猛地看到面前围着一群人。他使劲地揉了揉自己的眼睛，喃喃自语：“嗯？我不是在做梦吧？怎么会突然来了这么多人？”小女孩也醒了，紧紧拉住他的衣角，什么也没说，只是用惊奇的目光打量着这群陌生人。

“朋友，你不是在做梦，**你得救了**。”一个年轻人抱起小女孩，把她举到肩膀上，另外两个人上前扶着虚弱不堪的费瑞尔。一行人向车队走去。

有人问费瑞尔：“这小孩真可爱，她是你的孩子吗？”费瑞尔怜爱地看了小女孩一眼，坚定地说：“从这一刻开始，她就是我的孩子了，**谁也不能把她抢走**。从今天起，她就

叫露茜·费瑞尔！”

费瑞尔和露茜太幸运了，他们恰好碰上了路过的一群**迁徙者**，得救了。

这些人带着费瑞尔和露茜往山下走，费瑞尔放眼望去，好大的一支车队呀！从山脚下一直延伸到了远方。他惊讶地问道：“你们怎么这么多人？”一个年轻人骄傲地回答：“差不多上万人吧。我们在集体大搬家，也就是移民，要找一个好地方定居。走，我们一会儿带你去见**首领**，他会好好安置你们。”

下山后，这些人领着费瑞尔父女走到一辆马车前面。这辆马车高大华丽，车夫身旁端坐着一个不到三十岁的年轻人，那人正在看书，表情严肃，看起来很有首领的威严。其他人毕恭毕敬地向他汇报：“尊敬的首领，我们遇到了两个落难的人，不知该怎么处置，请您指示。”首领放下手中的书，冷漠地打量了费瑞尔半天，严厉地说道：“我可以允许你们跟我们走，但是，你们必须遵守我们的规矩，你愿意接受这个条件吗？”

露茜遇险

“我愿意！只要能离开这片荒原，我什么条件都答应。”费瑞尔急切地回答。首领面无表情地点了点头，吩咐道：“斯坦杰逊长老，这个人就交给你负责吧。咱们在这里耽搁得太久了，该动身了！”首领的命令一下，大家立刻齐声高呼：“**前进**！**前进**！”这口号像波浪一样，一波一波地传递下去，整个队伍不断向前。

前方的路并不好走，庞大的移民队伍历尽**千辛万苦**，终于找到一个适合定居的地方，叫犹他山谷。在做了一番考察后，首领大声宣布：“这里，就是我们的家园！从今往后，我们世世代代将在这里生活下去！”大家齐声欢呼。

很快，他们像变魔术一样，把这里建设得**欣欣向荣**。家家户户都有自己的土地，连被他们救来的费瑞尔也不例外。他体格强壮，聪明能干，在自己的土地上建房屋、种庄稼。终于，他的付出有了回报：三年后，他的财富超过了众多邻居；六年后，他过上了衣食无忧的生活；九年后，他已经相当富有；到了第十二个年头，当年的那个可怜人成了当地**鼎鼎有名**的大富翁。

说到费瑞尔他们生活的这个城市，在世界地图上还能找到呢，它是美国西部的一个城市，叫盐湖城，是美国犹他州最大的城市。

刚才的故事里说到，费瑞尔跟着大家重建家园，过上了好日子。人们都很尊敬费瑞尔，夸他**行为正派**。可唯独有一件事让他们相当不满，那就是费瑞尔竟然不娶妻子！连一个都没娶。要知道，按照当初迁徙者的规定，一个男人要娶好几个妻子才行。大家百思不得其解，这到底是为什么呢？有人说："估计他不是全心全意地追随我们吧！"有人说："唉，也许他就是个吝啬鬼，不愿意花钱办婚礼！"不管别人怎么说，费瑞尔就是不愿意让步，依然过着单身生活。

随着时间的流逝，费瑞尔的女儿露茜慢慢长大了。山里清新的空气和芬芳的松林，像慈爱的母亲一样抚育着她。她的脸庞越来越娇艳，体态越来越轻盈。人们路过费瑞尔的庄园时，总会看见一个苗条美丽的少女轻快地穿过麦田，或是**英姿飒爽**地骑着她的马儿，嘚嘚嘚嘚地四处奔跑！

6月的一个早晨，盐湖城的人们像往常一样忙碌着。马路上尘土飞扬，许多外乡人行色匆匆，向西边赶路。这些人要去做什么呢？原来，人们在盐湖城西边一个叫加利福尼亚的地方发现了好多金矿！无数外乡人穿过盐湖城去那里淘金。

这时，露茜也骑着马儿出现在了人群中，她要进城帮父亲费瑞尔办点事情。美丽的女孩吸引了路上无数行人的目光。不过，她可顾不上这些，一心只想早点把事情办好，于是不停地催促马儿："跑快些！再跑快些！"谁知，心急吃不了热豆腐，眼看就要进城了，她竟遇到了**大麻烦**。

几个放牛的牧人赶来了一大群牛，牛群慢悠悠地走上马路，挡住了道。"哎呀，别挡我的路！"露茜不耐烦地挥动马鞭，想从牛群的空隙中挤过去。

谁知，露茜刚刚挤进牛群，后面的牛立刻聚拢过来，堵住了她的退路。露茜陷入了牛的海洋！她周围到处都是凶狠暴躁的长角公牛，牛群哞哞哞地发出挑衅的声音。露茜平时对牛也很熟悉，所以一开始并不慌张，只是不停地催促她的马儿："快挤过去呀！怎么这么笨哪！"突然，危险降临了！

英雄救美

一头牛的牛角不小心戳到了露茜那匹马的肚子，马儿吓了一大跳，惊恐地大声嘶叫起来，前蹄腾跃而起，接着便一个劲儿地乱蹦乱跳。牛群里本来就是密密麻麻的牛角，马儿越是乱跳，越是容易被牛角戳到。情况越来越糟糕，马儿就像疯了一样**上蹿下跳**。“啊——”露茜吓得尖叫着俯下身子，死死抱住马鞍。她知道，只要一个不小心，自己就会从马背上摔下来，被马蹄和牛蹄活活踩死。

时间一分一秒过去，马儿根本没有停下来的意思，还在不停地蹦啊蹦。露茜渐渐没了力气，她无助地闭上眼睛，绝望地想着：“完了，我要死在这里了。”

就在这**万分危急**的关头，突然出现了一只强有力的大手，一把扯住马儿的缰绳，控制住了癫狂的马儿。原来是一个年轻高大的小伙子，他骑着一匹灰白斑点的骏马，身上穿着一件结实的粗布衣服，背上还背着一支长筒枪。

小伙子硬是从牛群中挤出一条路，把露茜和她的马儿带到了安全的地方。他关切地问道："小姐，你还好吗？"露茜看了看他黝黑的脸，天真地笑了起来："真是吓死我了！谢天谢地，**多亏你救了我**。呸！这马儿也太没用了，居然被一群牛吓成这样！"

小伙子热情地自报家门："我叫侯波。我想，你是费瑞尔先生的女儿吧，我看到你从他的庄园出来。"

他笑了笑，又说："麻烦你回家后问问你父亲，还记不记得杰弗逊·侯波？他是我爸爸大侯波，我们俩的爸爸以前还是好朋友呢。"露茜大吃一惊，说："啊，原来是这样！那你自己来我家问他呀！他一定会好好感谢你的。嘿，要是刚才那些牛从我身上踩过去呀，他不知得伤心成什么样子。"

侯波高兴地答应了。露茜急着去城里帮父亲办事，不得不跟侯波道别，分别前，她带着一丝期盼说："侯波，我先走了，你一定要来我家啊！再见！"

说完，露茜掉转马头，**策马扬鞭**，在烟尘滚滚的大道上飞奔而去。侯波站在原地，痴痴地望着露茜远去的背影。他的心跳得很快，脑子里一片混乱。女孩的笑容像烙印一样，深深地印在了他的心上。以前，他痴迷于淘金这件事，但现在呀，他发现，什么财富呀，地位呀，都比不上这个阳光明媚的女孩来得重要。

当天晚上，侯波就迫不及待地去拜访了露茜的父亲费瑞尔。这可真是让费瑞尔又惊又喜。这十二年来，费瑞尔一直待在山谷里，几乎与世隔绝。而侯波呢，简直是**无所不知**的故事大王，他**绘声绘色**地向费瑞尔父女讲起了这些年的所见所闻。他知道哪些人因为淘金而一夜暴富，哪些人又因为淘金而倾家荡产。侯波自己呢，干过各种不同的工作，他当过猎人，在牧场干过活，甚至做过侦察员。他的口才很好，他把这些故事讲得**妙趣横生**，费瑞尔听得津津有味，露茜更是听得入了神。

很快，他们就**像家人一样**熟悉起来。侯波一有时间就去拜访费瑞尔，费瑞尔对他也特别满意。而露茜总在一旁安安静静地听他们俩说话。只要看到她那泛着红晕的脸颊、笑盈盈的眼睛，就知道，这姑娘啊，喜欢上了这个小伙子。

费瑞尔的心事

费瑞尔知道两个年轻人的心意，默许他们**相亲相爱**。一个夏天的傍晚，侯波骑马来到露茜家门口，握着她的手，温柔地说："我要去外地办点事，露茜。等我回来的时候，你能不能嫁给我？跟我走？"露茜微笑着低下了头，羞涩地问道："那……你什么时候回来呢？""顶多两个月，亲爱的。等我回来，我们就**订婚**。你父亲已经同意了！"

侯波又故作轻松地说道："好了，露茜，我得走了，和你待得越久，就越不想离开。再过两个月，我们就又能见面了。"

他一边说着，一边松开了露茜的手，快步翻身上马，头也不回地奔驰而去。他知道，只要回头再看露茜一眼，肯定就舍不得走了。

时间一天天过去，转眼间侯波已经离开三个星期了。费瑞尔的心情很复杂，他既舍不得侯波回来带走女儿，又希望女儿得到幸福。而他还有**一桩更大的心事**：侯波是外人。露茜如果嫁给了侯波，就要遭受惩罚——根据当初迁徙者的规定，他们的女子只能嫁给内部人。难道让露茜遵守这样的规定吗？不不不！这万万不行！而且迁徙者还规定，一个男人必须娶好几个老婆。他怎么能让心爱的女儿受这样的委屈？

费瑞尔不敢把这些心事说给别人听，万一传出去啊，后果简直**不堪设想**。首领掌管着一个恐怖而又神秘的杀手组织，它无所不知、无所不能。杀手们在暗地里监视着每一个人。谁要是敢有一丁点儿反对的念头，立刻就会招来**杀身之祸**！

一个晴朗的早晨，费瑞尔打算去田里干活。他朝窗外一瞧，有个中年男子正朝他家走来——啊，居然是首领！费瑞尔大吃一惊，心中立刻有种不祥的预感。首领向来是无事不登三宝殿，他上门肯定没什么好事。

费瑞尔赶紧跑到门口，恭恭敬敬地迎接这位至高无上的尊贵客人。首领对他很冷淡，板着面孔走进了客厅。“费瑞尔兄弟，”首领开口了，眼睛冷漠地打量着费瑞尔，“当年你们在荒漠里就要死了，是我们好心救了你们，分给你们食物，后来又分给你们土地。你在我们的保护下，慢慢发家致富，过上了好日子。我说得对吗？”费瑞尔诚恳地回答道：“没错，首领。”

“我当时只提出了一个条件，那就是你必须遵守我们的规矩。但现在看来，你好像**食言**了。”

费瑞尔疑惑地反问道：“首领，我不明白，我哪里没遵守呢？我定期缴纳费用，我……”费瑞尔还没有说完，首领就厉声打断了他：“我们这里规定一夫多妻，你的妻子们在哪里?！把她们叫出来，我要见见她们！”

费瑞尔坦诚地回答：“我没有娶妻，这是事实。但我不需要妻子的照顾，我和女儿相依为命就够了。”

首领冷笑道：“我今天来，就是想说说你女儿的事。她已经长大了，算得上我们这里**数一数二**的美人。许多有地位的人都看中了她。”费瑞尔听到这些话，心里不禁暗暗叫苦：首领这是要插手我女儿的婚事呀！

一个月期限

首领看着费瑞尔，冷冷地说："最近有很多传言，说你家露茜马上要和外人订婚。费瑞尔，你说实话，这是真的吗？"首领冷冰冰的目光停留在费瑞尔的脸上，让费瑞尔感到头皮发麻。首领接着说："你忘了我们的规矩吗？'这里的女子只能嫁给内部人；如果嫁给了外人，那她就犯下了**滔天大罪**。'费瑞尔，你不想自己心爱的女儿出事吧？"费瑞尔没有答话，只是低头默默地摆弄他的马鞭。

"我们已经开会决定了：露茜还很年轻，你放心，我们不会让她嫁给一个老头。斯坦杰逊长老有一个儿子，锥伯长老也有一个儿子。那两个男孩又年轻又有钱，他们俩都想娶露茜，那就让露茜从中选一个吧。费瑞尔，你有意见吗？"费瑞尔的脸色非常难看，他皱紧眉头，沉默了好一会儿。最后，他委婉地推托道："首领，**您得给我们一些时间哪**！我女儿还很年轻，她还不到结婚的年龄呢。"

“那就给你们**一个月的时间**！”首领站了起来，恶狠狠地丢下一句话，“一个月后，你们必须给我答复！”说完，他径直向门外走去，到了门口，又突然像恶魔一样回过头来，目露凶光，**咬牙切齿**地威胁道：“费瑞尔，你胆敢违抗我的命令，那就是拿鸡蛋碰石头，有你的好果子吃！哼！你们父女俩当年怎么没死在荒漠里！”说着，他挥起拳头，狠狠地砸在门框上。

首领带着满腔怒火离开了，他的脚步重重地踏在门前的小路上，就像是狠狠地踏在费瑞尔的心上。费瑞尔心里乱得像一团麻。“该怎么办才好啊？”他撑着下巴，绷着一张脸坐在门口发呆。忽然，一只柔软的手搭在他的肩膀上。费瑞尔抬头一看，是脸色苍白的露茜。

露茜刚刚在隔壁的房间里听到了父亲和首领的全部对话，她担忧地问道：“爸爸，我们该怎么办呢？”“好孩子，别怕，”费瑞尔站了起来，抚摸着女儿的秀发，慈爱地说道，“咱们总会有办法的。孩子，你深爱着侯波，是吗？”露茜没有回答，她只是握住父亲的手，任由泪水流过面颊。

费瑞尔说：“侯波是个好小伙子，比那些长老家的**纨绔子弟**优秀多了。我会给他写封信，把这些情况告诉他。我猜呀，他一定会像电报似的，**嗖的一声**就到家了。”费瑞尔的话逗乐了露茜：“嘻嘻，是的，侯波一定会有好办法。可是爸爸，大家都说，反对首领的人都会遇到**可怕的灾难**，我们会不会……”

费瑞尔故作轻松地说：“刚才我没有直接反对他呀。而且，咱们还有整整一个月的时间呢。实在不行，咱们就离开盐湖城！”

露茜摇了摇头，眼里充满了忧愁。“爸爸，其实你心里很清楚，首领是不会放咱们走的。”露茜说。

“好了好了，孩子，别想那些乱七八糟的了。”费瑞尔拍着胸脯说，“你要对爸爸有信心。等侯波回来，他会想办法带咱们**逃出去**的。好女儿，别哭啦！侯波要是看见你这副模样，一定会怪我没照顾好你。”

费瑞尔表面上装出坚定乐观的样子，实际上，他的心却揪得紧紧的。他比露茜更清楚，首领是个多么可怕的人！当天晚上，他仔仔细细地锁好所有门窗，又把墙上那支生了锈的猎枪取下来擦拭干净，还装上了子弹，以防不测。

第二天一早，他迫不及待地进城寄信给侯波。当他回到家时，他发现门柱上拴着两匹马儿。

讨厌的求婚者

“门口的马儿是谁的？”费瑞尔嘟囔着走进屋子，看见屋里多了两个年轻人。一个长脸，面色苍白，大模大样地躺在摇椅上，两只脚翘得老高。另一个呢，长得又蛮横又丑陋，正站在窗前，轻浮地吹着口哨。

看到费瑞尔走进来，两个年轻人冲他点了点头。躺在椅子上的那个长脸先开了口：“你大概还不认识我们吧。我来介绍一下，这位是锥伯长老的儿子，我是斯坦杰逊长老的儿子。我们都是奉了父亲的命令，前来向你女儿求婚的。”这个小斯坦杰逊说话的时候，依然翘着脚，一副盛气凌人的样子。“就请你和你女儿看看吧，到底想选谁。我呢，只有四个老婆，可是锥伯兄弟已经有七个老婆啦。费瑞尔，我看，你还是把女儿嫁给我吧！”

站在窗前的那个长相丑陋的锥伯听了，不满地嚷嚷道：“话可不能这么说，斯坦杰逊。问题不在于有几个老婆，而是你和我究竟能够养活多少个。我马上就要继承我爸的财产了。哼，我可比你有钱！”

斯坦杰逊的脸立刻涨得通红，他愤怒地站了起来，说：“锥伯，你可别忘了！等我家老头一死，我马上就是新一代的长老，地位比你高得多！”小锥伯也不生气，他**漫不经心**地照着镜子，皮笑肉不笑地说：“那就让露西来决定吧。咱们要尊重女孩子的意见。”

费瑞尔一直站在门边，听到那些话，肺都快气炸了。他按捺住想拿鞭子抽人的冲动，**大声呵斥**道：“我女儿没同意之前，你们谁也不准出现在我家！”

锥伯和斯坦杰逊又惊讶又气愤，他们俩睁大了眼睛瞪着费瑞尔说：“老东西，你是不是老糊涂了？长老的儿子来向你女儿求婚，这可是你的光荣！”费瑞尔握紧了马鞭，手臂上青筋暴起，他咬牙切齿地说：“呸！我可不需要这份光荣！要么你们自己走，要么我用鞭子把你们送出去！”他的脸色可怕极了，好像下一秒就要吃人了。

锥伯他们俩见情况不妙，拔腿就跑，一边跑一边叫嚣道：“好你个费瑞尔，竟敢公然反对首领！他能够让你生，也能要你死！等着吧，你会后悔一辈子的！”

“好啊，在死之前，我先送你们两个下地狱！”费瑞尔冲上楼，想去拿枪，露茜一把拉住他的胳膊，把他拦了下来。费瑞尔擦着额头上的汗，坚决地说道：“这两个流氓！露茜，我决不会把你嫁给他们！”露茜温柔地安慰他：“别生气，爸爸，侯波马上就回来了，他会有办法的。”

锥伯他们俩走了之后，费瑞尔的心里更加**惴惴不安**：他刚才把长老们的儿子赶出了家门，首领知道后一定会大发雷霆，危险似乎离他们**越来越近**……

果然，第二天早晨，费瑞尔醒来后发现了一件可怕的事情。他盖的被子上，钉着一张字条，上面歪歪扭扭地写着一行字：“限你29天内改正，否则……”字条的后半句省略了，却比任何威胁都更恐怖。

可怕的数字

被子上的神秘字条是怎么送进来的？费瑞尔**百思不得其解**。门窗都锁好了，夜里也没听见什么声音哪。这件古怪的事情，让他胆战心惊。明面上的敌人还没那么可怕，埋伏在暗处的杀手才是最恐怖的。因为你永远也不知道他们会从什么地方冒出来，给你**致命的一击**。

第三天早晨，惊悚的事情又发生了。当他们坐下来吃早餐时，露茜忽然指着天花板惊叫道："爸爸，你看！"原来，在天花板的中央，有一个硕大的数字：**28**！应该是用烧焦了的木棒画的。那天晚上，费瑞尔彻夜未眠。他拿着猎枪通宵守卫，想抓住那个写数字的人。整整一夜，他什么也没看到，什么也没听到。让人**毛骨悚然**的是，第二天一早，一个大大的数字**27**又出现在了他家的门上。

这些藏在暗处的敌人一直在倒数着数字，**29**、**28**、**27**……这是在给费瑞尔倒计时呢！首领逼他在一个月内做出决定，到底要把露茜嫁给谁！日子一天天过去，数字每天都会出现在不同的地方，有时在墙上，有时在地板上，还有几次，是在花园的门上或栏杆上。不管费瑞尔夜里怎样小心提防，都查不出那些**诡异的数字**到底是什么时候写的。接连几天，他吃也吃不下，睡也睡不好，人显得很憔悴。他每天盼星星盼月亮似的盼着侯波回来，心里想着："侯波什么时候回来呀？他回来就好了！"可是，二十天、十五天、十天，日子一天天减少，侯波始终**杳无音信**。

转眼间，距离最后的期限只剩最后一天了。侯波仍然没有任何消息。当天夜里，费瑞尔像往常一样拿着猎枪值守，心里却比任何时候都更**焦灼不安**："明天就是最后的期限了，侯波还没回来。这周围都是大山，山里的情况我一点儿也不熟悉，该怎么逃出去呀？逃不出去的话，会发生什么可怕的事情？我可能会死，那我女儿呢？"他想到自己势单力薄，根本没办法对抗首领，不由得伏在桌上哭了起来。

忽然，一阵窸窸窣窣的声音传到了费瑞尔的耳边。那声音很轻，好像是从大门那边传来的。费瑞尔腾地站起身来，**蹑手蹑脚**地走到门后。他屏住呼吸，竖着耳朵仔细倾听，声音消失了。过了一会儿，这轻微的、令人毛骨悚然的声音又响了起来。接着，他隐约听到有人在轻轻敲门。

“是那个天天写数字的杀手来了吗？”费瑞尔心一横，握紧了猎枪，心想：“**提心吊胆**的日子我受够了！我宁愿痛痛快快地战死，也不想一直遭受这种折磨。”想到这里，他鼓足勇气，猛地把门打开。

屋子外面静悄悄的，夜色明朗，繁星闪烁，费瑞尔左右张望了一下，一个人影也没瞧见。他松了一口气，擦掉头上的冷汗，心想：“大概是我听错了吧。”但是在关门前，他无意中朝脚下看了一眼，吓得差点儿**跳起来**：只见一个人趴在地上，手脚笔直地伸展着。

逃跑计划

费瑞尔的魂都快被吓飞了，他死死地靠在墙上，用力按住自己的喉咙，这才没有喊出声来。突然，地上的那个人像蛇一样迅速无声地向前爬行，一直爬到了客厅。一到客厅，他就立刻站了起来，把门关上。费瑞尔**定睛一看**，这个神秘人不正是侯波嘛！

“我的天哪！”费瑞尔脸色煞白，他捂着胸口说，“真把我吓死了，你为什么要这样进来？”“快给我点吃的，”侯波嗓音嘶哑地说，“为了赶回来，我已经**两天两夜**没吃东西了。”餐桌上还有些食物，侯波就像快要饿晕的狼一样，抓起肉和面包**狼吞虎咽**。

吃了一些东西之后，侯波压低声音说：“这屋子已经被包围了。我怕惊动他们，只好爬进来。”盼星星盼月亮，终于把帮手盼来了，费瑞尔激动地握住侯波的手，差点儿落下眼泪：“好孩子，露西没看错人，现在只有你能帮我们了。咱们现在该怎么办？”侯波来不及休息，急切地说：“明天就是最后的期限了，我们今晚必须行动。我之前找了几匹马儿，现在就在老鹰谷那里等着。它们会带我们离开这个鬼地方。你快去叫醒露茜。”

费瑞尔去叫露茜时，侯波也没闲着，他把能找到的食物都打包好，又装了满满一大瓶水。等他收拾完毕，费瑞尔父女一起走了出来。

“咱们必须马上就走。只要到了老鹰谷，事情就好办了。”侯波的声音低沉而又坚决。虽然前路十分危险，但他已经下定决心，不管付出多大代价，都要拯救他心爱的女孩。

“前门和后门都有人把守，我们最好翻窗户出去。”侯波小心地打开窗户，仔细观察了好一阵，确定窗外没人后，他领着费瑞尔父女翻过窗户，来到了屋外的小花园里。他们猫着腰，轻手轻脚地穿过花园。快到花园围墙时，侯波突然一把抓住父女俩，把他们拽到了阴暗的地方。父女俩不知道发生了什么情况，小心翼翼地趴在地上等着，大气也不敢出，浑身直打哆嗦。

侯波是一个出色的猎人，耳朵就像山猫一样敏锐，刚才他之所以那样做，是因为听到了一阵奇怪的响动。

果然，他们刚趴下不久，就听见几步之外传来一声猫头鹰的啼叫，接着，不远处又响起另外一声呼应。**暗号**对接好后，有两个人从暗处走了出来。“明天半夜，猫头鹰叫三声的时候下手。”一个人冷冰冰地吩咐道。另一个人回答说：“好的！我要告诉锥伯兄弟吗？”“告诉他，让他记得传达给其他人。”都交代清楚后，其中一个人突然又张口说道：“**九到七！**”另一个人立刻回应：“**七到五！**”这两个杀手安排好任务后，各自分头行动去了。他们最后说的“九到七”和“七到五”，一定是一种暗号，侯波暗暗记在了心里。等杀手走远后，侯波立刻跳起身来，用最快的速度领着费瑞尔父女穿过田地。

过了田地，露茜早已筋疲力尽，实在跑不动了，侯波又是扶又是拖，一路拽着露茜向前跑。“快！快！”侯波气喘吁吁地催促着，“咱们已经闯过了警戒线。再坚持一下，马上就胜利了！”

他们走上了大道，快跑到城边的时候，侯波带着父女俩拐进一条**崎岖小道**。黑暗中，只见两座黑压压的大山出现在眼前。两山之间的狭窄通道就是老鹰谷，侯波的几匹马儿就乖乖地在这里等着。

惊险逃亡

马儿看到侯波他们，欢快地扬起了马蹄。三人骑上马儿，沿着险峻的山路前行。山路的一边是高耸的**悬崖峭壁**，黑压压的一片，仿佛下一秒就会倒下来似的，另一边是成堆的乱石。马儿走在中间崎岖的**羊肠小道**上，每一步都迈得十分艰难。但侯波他们的脸上，露出抑制不住的欣喜的神色，他们知道，每前进一步，就离那个恐怖的地狱远了一步。

走到山路中最荒凉的地段时，露茜突然看见了什么，她惊恐地用手指着前方。侯波和费瑞尔定睛一看，原来前方路上有一块高高的岩石，岩石上站着一个**哨兵**。哨兵也看见了他们，静静的山谷里立刻响起了一声吆喝："你们是谁？""好兄弟，我们是过路的旅客。"侯波一面笑眯眯地回答，一面握住了腰上的枪。

哨兵很不满意侯波的回答，满腹狐疑地问道："这么晚了还出门！是谁准许的？"费瑞尔**毕恭毕敬**地说道："是尊敬的首领。”哨兵听后，大喊了一声：“**九到七！**”侯波一下就想起了在花园里听到过的暗号，立马回应道：“**七到五！**”

听到侯波说出了暗号，哨兵点点头，让他们通过了。马儿一颠一颠地向前走着，三人回头望了望，隐约还能看见那个哨兵倚着他的枪，孤零零地站在那里。他们知道，终于逃了出来，自由就在眼前。

晚上的山路非常难走，他们迷路了好几次。幸亏侯波熟悉山里的情况，很快又找到了正确的路。

天终于快亮了，眼前出现了一幅**奇妙的景象**：太阳从地平线上缓缓升起，群山就像宴会上的明灯，一个接着一个亮了起来。等到所有的山头都被画上了一抹红晕后，世界瞬间变得光明耀眼。看到这样的美景，三个逃亡者不由得振奋起来：光明降临了，希望就在前方！

他们在小溪边匆忙吃完早餐。费瑞尔父女实在累得走不动了，想停下来多休息一会儿，侯波却坚决不同意。他扶起露茜和费瑞尔，给他们**加油鼓劲**：“杀手们现在一定还在追来的路上。不能松懈呀，只要咱们逃出了大山，就算是休息一辈子也不要紧。”

这一整天，他们都在山路上奔波。夜里，他们就在岩石

下背风的地方，睡上几个钟头。天还没亮，他们又动身上路了。一路上都没发现有人追赶的迹象，侯波心头的大石头渐渐落了地：“都这么久了，杀手们还没追上我们，肯定已经回去了。”

第二天中午，他们带的食物快吃完了，大家饿得头脑昏花。侯波做了个**冒险的决定**：去打猎。出发前，他先找到了一个隐蔽的山洞。他为父女俩捡了些枯树枝生火取暖，又一再叮嘱露茜：“你们在这里等我，千万别乱走，我马上就回来。”走出不远，他回过头看到老人和少女正围着火堆取暖，马儿们一动不动地站在他们身后，侯波脸上露出了**幸福的微笑**。他背好猎枪大步走了出去。

可是，他这天的运气真是糟透了：**翻山越岭**搜寻了两三个小时，还是一无所获！他长吁短叹地打算空手回去时，忽然眼前一亮，前边一块突出的岩石边上，正站着一只野兽。它看起来有点儿像羊，这会儿正好背对着侯波，根本不知道自己已经被猎人盯上了。

山谷里迷路

侯波看到猎物后**心花怒放**。他悄悄趴在地上，把猎枪架在一块岩石上，瞄准了目标，砰——打中了！那只野兽疼得跳了起来，在岩石边挣扎了几下，就**咕噜咕噜**向山谷下滚去。侯波兴奋地冲下山谷。太好了！他找到了自己的战利品。这只野兽也太沉了吧，一个人根本背不动。“真可惜呀，没法都带走。”侯波想了想，用刀从野兽身上割下了几大块肉。

他背起战利品打算往回走时，发现自己遇到了一个大麻烦。之前他一心只顾着搜寻猎物，已经远远地走出了他熟悉的山谷。他**迷路**了！大山里千沟万壑，处处都十分相似，露茜他们到底在哪里呢？

夜色很快就降临了，当侯波费尽周折，好不容易找到了一条熟悉的小路时，天色已经完全暗了下来。月亮还未升起，整条山路都是黑漆漆的，两边又都是高耸的悬崖峭壁，他只能摸索着前行。尽管身上还背着沉重的几大块猎物的肉，尽管已经累得**筋疲力尽**，但只要想到心上人的笑容，侯波的精神便又振奋起来：“露茜看到我带回来这么多食物，肯定乐坏了！”

终于快到了！“露茜他们一定等着急了，我都快离开五个钟头了。”侯波心里很激动，迫不及待地高喊起来，“我回来啦！”

可是，**没有人回答**。沉寂荒凉的山谷里只有他自己的回音。他有点儿慌了，又喊了一声，声音比先前更响亮，但周围依然是一片寂静，气氛十分诡异。侯波隐约感到一阵莫名的恐惧，他撒开腿向山洞跌跌撞撞地跑了过去。慌乱中，就连宝贝一样的猎物的肉也掉落在了地上。

山洞里只有一堆炭火在孤独地发着光，马儿、老人和少女都不见了。眼前这意外的景象让侯波**惊慌失措**、目瞪口呆。他只觉得天旋地转，大脑一片空白。他用力抓住枪杆来支撑自己，以免跌倒在地。等情绪稍微平复后，他弯腰从火堆里捡起一段还没有完全烧完的木材，把它吹燃，借着火光仔仔细细地查看山洞及周边的情况。地面上到处都是马蹄践踏的印迹。**杀手来过了**！一定是来了一大帮杀手！从马蹄印的朝向看，那帮人又回盐湖城了。

侯波绝望地环顾四周，当他的目光落在某一处时，他再次倒吸了一口凉气。在离火堆不远的地方，出现了一个原本没有的**土堆**。侯波走近一看，土堆上插着一根木棒，木棒的裂缝处夹着一张纸，上面草草写了几个字：费瑞尔，生前住在盐湖城，死于某年某月某日。天哪！这……这竟是费瑞尔的坟墓！侯波刚离开不久，那位原本还很健壮的老人就在这里死去了。

“露茜呢？露茜——！”侯波**发了疯似的**到处寻找，想看看是否还有第二座坟墓。他没有找到。他知道，可怜的露茜已经被那帮人带回去了。

首领这帮人**人多势众**，**神通广大**，就靠侯波一个人，哪有可能把露茜再救出来？他万念俱灰，举起猎枪对准了自己。“不！我不能就这么死了！”他猛地放下枪，跌坐在地上，灰暗的眼睛狠狠地盯着凄凉的火堆，牙齿紧紧咬着嘴唇，心里暗暗发誓：“此仇不报，誓不为人！哪怕耗上我的一辈子，也要让你们得到报应！”

露茜的婚礼

当侯波下定决心后，他迈着沉重的脚步去山谷里捡回了猎物的肉，把肉烤熟。这是他接下来几天的食物。尽管此时他已经心力交瘁，但还是强打精神，踏着杀手的马蹄印往回走。他翻山越岭，辛辛苦苦走了整整五天。夜里，他躺在乱石上胡乱地睡上几个钟头。天还没亮，他又起来赶路。他筋疲力尽，脚上全是血泡。走啊走啊，到了第六天，他终于回到了老鹰谷！从老鹰谷谷顶往下望，他看见了一些房屋，还注意到街上挂了很多**新的彩旗**。现在，他已是形销骨立、憔悴不堪了。他倚着他的枪，对着脚下的城市，狠狠地挥舞着**拳头**。

忽然，不远处传来马蹄奔腾的声音，侯波发现骑马人有些面熟。啊，是一个名叫考起的当地人！侯波以前认识他，还帮过他几回。当马儿走近时，侯波伸出胳膊拦住了他，问道："考起，我是侯波。你还记得我吗？"

考起诧异地打量着他。眼前这个脏兮兮、臭烘烘的流浪汉，真的是以前那个年轻英俊的侯波吗？他看清楚以后，诧异瞬间变成了恐惧。他低声惊呼："侯波！你是不是疯了，还敢回来！要是有人看见我跟你说话，我这条小命就保不住了！你帮助露茜父女逃走，首领已经下令**抓捕**你了！"

侯波拽住考起的缰绳，可怜地哀求道："我不怕他们。考起，我只想问你几个问题，求求你告诉我。"考起不安地四下张望，紧张地说："什么问题？快说！周围的这些石头都有耳朵，这些大树也都长着眼睛呢。"

"露茜现在怎么样了？"侯波紧张地问道，声音微微发颤。"她和小锥伯结婚了。唉！侯波！你站稳哪，你还好吗？"

"我……我没事，"侯波的嘴唇一下子失去了血色，他颓然跌坐在地上，有气无力地问道，"你……你说她结婚了？"

"是呀，婚礼就在昨天，看到大街上的那些彩旗了吗？就是为了庆祝这事。为了娶到她，锥伯和斯坦杰逊还差点打起来了。他们俩都参加了**追捕行动**，斯坦杰逊还开枪打死了露茜的父亲。按理说斯坦杰逊功劳更大，更有理由娶露茜，但锥伯家势力大，又有钱，于是首领就把露茜交给了锥伯。"想到那个可怜的女子，考起同情地说道："唉！不过要我说啊，嫁给谁都无所谓了。我昨天看到露茜，她目光呆滞，面如死灰，恐怕**活不了多久了**。哎，侯波，你要走了吗？”

侯波拄着他的枪，艰难地站了起来，说：“是的，我要走了。”他的神情严峻又坚决，眼里满是仇恨。

“你要去哪里？”

“你不用管。”侯波背起了他的武器，摇摇晃晃地走下山谷，一直走到了大山深处。现在的他，就像是一头凶猛又危险的野兽。

考起的预言果然应验了。露茜嫁给锥伯后，每天愁眉不展，失魂落魄。结婚不到一个月，她就因极度忧郁而**离开了人世**。可怜的露茜死了，锥伯却一点儿也不难过，和平时一样寻欢作乐。他之前坚持要娶露茜，只不过是贪图露茜父亲的财产罢了。

发誓复仇

露茜死后，只有当地的一些女人同情她。在她去世的当晚，她们自发地来为她守灵。第二天凌晨，正当她们安静地围坐在灵床边的时候，忽然，嘭的一声，大门猛地被推开，一个衣衫褴褛、饱经风霜的男子闯了进来。妇女们瞪着惊恐的眼睛，捂着嘴一句话也不敢说，个个缩在角落里瑟瑟发抖。那个男人不理会她们，径直走到露茜面前，俯下身来，虔诚地吻了一下她的额头，然后握住露茜的手。过

了一会儿，他颤抖地从露茜的手指上取下一枚**戒指**，痛苦地低吼：“露茜不会就这么下葬的！”守灵的妇女们还没反应过来，他便飞身消失不见了。这位不速之客正是侯波。

露茜死后，侯波又在大山里游荡了几个月，过着野人一般的生活。刻骨铭心的痛让他时时刻刻想着要为露茜父女俩**报仇雪恨**。他常常盯着那枚戒指，咬牙发誓说：“我一定要让锥伯看着这枚戒指死去！我要让锥伯和斯坦杰逊受到应有的惩罚！”

侯波在大山出没，在城外徘徊，想找机会下手。但上天似乎故意和他作对，每次都让他和成功**失之交臂**。有一次，他的子弹嗖地穿过了斯坦杰逊家的窗户，却射在了离斯坦杰逊不到半米远的墙上。又有一次，他守在山上，想要推下巨石砸死路过的锥伯，谁知锥伯反应灵敏，向后一退，逃过了一劫。

锥伯和斯坦杰逊也发现侯波在报复他们俩，于是愤怒地发起了反击。他们俩多次带着大队人马冲进深山，想杀死侯波，但都没能成功。他们俩只好以防守为主，在住处增加守卫，并且决不单独外出。加强防护后，侯波果然不再出现了。锥伯和斯坦杰逊心存侥幸地想：“时间一久，那个倒霉的人应该会放弃复仇吧。”

然而，他们**大错特错**了！侯波这辈子，只剩下一个目标，那就是复仇！他暂时没有再出手，只是想换一种复仇的方式。侯波知道，尽管自己体格健壮，但也受不了过度操劳。他如果还像以前一样，整天风吹日晒，饥寒交迫，体力肯定会大大下降。时间久了，他可能会像野兽一样，悄无声息地死在大山里。那岂不是正合了敌人的心意？不，绝不能那样！

侯波仔细盘算后，决定先回到他以前待过的矿场，在那里**养精蓄锐**，顺便多攒点钱，然后继续追踪仇人。

光阴荏苒，弹指一挥间，侯波在矿场已经待了五年，是时候重新开启复仇计划了！侯波乔装打扮，改名换姓，再次回到了盐湖城。没想到的是，城里已经发生了翻天覆地的变化。

几个月前，这里发生了严重的争斗，一群年轻人联合起来反抗首领的统治，结果，很多人离开了盐湖城。侯波的仇人锥伯和斯坦杰逊也在其中。侯波慌了神，**火急火燎**地在盐湖城四处打听，但是没有任何人知道他们俩的下落。传闻锥伯早就变卖了所有财产，带着万贯家财离开了这里，而斯坦杰逊家却破败了，穷困潦倒，他只好当了锥伯的秘书。

跨国追凶

虽然仇人不知去向，但侯波复仇的决心丝毫没有动摇。“哪怕要一个城市接着一个城市去找，我也**决不会放弃**！只要我还活着，总有一天会找到你们！”

可是满世界地寻找两个人，哪有那么容易，简直如同**大海捞针**！侯波节衣缩食，把钱都省下来追踪仇人。钱用光了，他就随便找点事做，勉强糊口。一年又一年过去了，侯波的头发已经花白了，他仍在苦苦寻找。

苍天不负苦心人。一天，他在美国中部的一个城市转悠，不经意地往马路边的一扇窗户瞥了一眼。嘿，他看到了什么！窗户后面，不正是仇人锥伯的脸吗？与此同时，锥伯也正好望向窗外，他一眼就认出了侯波。顿时，锥伯浑身颤抖，像见到了鬼一样，吓得**魂不附体**。“警察……警察……”他连忙找到警察，说以前的仇人想要杀他。警察果然逮捕了像流浪汉一样的侯波，几个星期后才把他放了出来。而他的两个仇人呢，不用说，早已脚底抹油，溜之大吉了。

侯波好不容易打听到消息：他们俩已经去了欧洲。这可把侯波难住了，欧洲太远了！侯波没有足够的路费呀。思来想去，没有别的办法，他不得不再工作一段时间辛辛苦苦地省下每一分钱。等终于攒够了路费，他一刻也不想停留，立刻动身前往欧洲，继续一个城市接着一个城市地搜寻，就像猎犬执着地搜寻猎物一样。然而，他始终是**徒劳无功**。

他的运气实在是太差了，总是比仇人们慢一步。当侯波赶到圣彼得堡时，他们俩已经去了巴黎。当侯波赶到巴黎时，他们俩又动身去了丹麦。等侯波好不容易追到丹麦，却得知他们俩在几天前就到伦敦去了。锥伯和斯坦杰逊东奔西跑，就是想把侯波拖垮。

侯波历尽**千辛万苦**，终于追到了伦敦，此时，他已经穷得叮当响了。为了填饱肚子，他去了马车出租公司工作，成了一名**马车夫**。一开始，侯波根本不认识伦敦的路。他把一张城市地图带在身边，没事就拿出来翻翻。慢慢地，他总算摸清了好几个大旅馆和车站的情况。他一边工作，一边搜寻仇人的下落。

踏破铁鞋无觅处，得来全不费功夫。这一次，老天爷终于开眼了！侯波在赶车时，居然无意之中碰上了锥伯和斯坦杰逊！更重要的是，他追踪到了他们俩的住址——他们俩就住在夏朋婕太太的公寓里！上一次太大意，被锥伯认了出来，侯波早已吸取教训，蓄起了胡须。有了这一脸乱糟糟的络腮胡，任凭谁也认不出他。

从此以后，侯波一直在暗中跟着他们俩，**等待时机**下手。他们俩走到哪里，侯波就跟到哪里。马车夫的身份真是最好的伪装，锥伯和斯坦杰逊都没有认出他。

但这两人的**警惕性**依然很高，决不单独出门。侯波跟踪了快两个星期，还从没看见他们俩分开过。锥伯是个大酒鬼，每天都喝得醉醺醺的，斯坦杰逊却很理智，他总是用两只耗子似的眼睛**东张西望**，谨慎地留意周围的动静。

侯波犯了难，焦躁地想："这两人**形影不离**，我就算再厉害，也没办法同时对付两个人哪。唉！该怎么办呢？"

伺机而动

终于有一天，**机会来了**！那天，侯波像往常一样赶着马车，在锥伯他们俩住的公寓附近转悠。忽然，他看见一辆马车停在了公寓门口。过了一会儿，锥伯和斯坦杰逊拎着行李走了出来，一同坐上马车离开了公寓。“想跑？没那么容易！”侯波一边想着，一边赶紧挥起马鞭，驱车追了上去。一路上，侯波紧张得直冒汗：“决不能让你们从我眼皮底下溜走！”

最后，锥伯的马车在火车站停了下来，他们俩下车后直接去了站台。侯波赶紧小心翼翼地跟上前去，**躲在角落里**偷听他们俩说话。

原来，他们俩想离开伦敦，去英国的另一个城市利物浦！还好老天帮忙，他们俩**没赶上火车**！下一趟还要等好几个小时。斯坦杰逊懊恼极了，嘟囔着咒骂了几句，锥伯却异常兴奋，丑恶的脸上堆满了邪恶的笑容：“斯坦杰逊，嗯……我有一点私事要去处理一下，你在这里等我，我马上回来。嘿嘿……”

斯坦杰逊板着脸提醒道："锥伯，侯波那家伙还不知道在哪里盯着我们呢。咱俩必须**时时刻刻**待在一起，他才没机会下手。"锥伯不屑地说道："那傻子说不定早就死了，怕他干吗？我都说了，这是我的私事，我必须单独去。"斯坦杰逊还是拉着他不放手。锥伯没耐心多废话，指着对方的鼻子破口大骂："斯坦杰逊！你最好弄清楚自己的身份！你只是我雇用的仆人而已，别在我面前装腔作势、多管闲事！"斯坦杰逊的脸一阵红一阵白，他尴尬地说："好吧，锥伯先生，听你的。这附近有家郝黎代旅馆，我在那里等你，你尽快回来。"锥伯边走边嚷嚷："知道了，知道了，烦死人了。"

眼看着锥伯独自走出了车站，侯波的内心就像波涛汹涌的大海一样。苦苦等待了这么多年，终于盼来了这一刻！只要这两人一分开，他就一定有机会下手！他早就制订了一套周密的**复仇计划**。恰好几天前，花园街 3 号空房子的主人雇了侯波的马车，还不小心把房子的钥匙落在了车上。他心中暗喜：那栋空房子可是绝佳的复仇场所！他悄悄配好了一把钥匙。现在万事俱备，只欠东风。只要能把锥伯弄到空房子里去，他的计划就完成了一半。

锥伯在路上**大摇大摆**地走着，侯波一路紧紧跟着他，锥伯看到路边有家酒馆，二话不说就钻了进去。半个多小时后，他才**摇摇晃晃**地走出来，一看就知道又喝多了。他抬手招来一辆马车，手脚并用狼狈地爬了上去。侯波还是驾着车紧跟在后面。马车在城市的街道中穿梭，走着走着，侯波发现锥伯的马车居然又回到了夏朋婕太太的公寓。这是怎么回事？侯波好生纳闷，不知道锥伯的葫芦里到底卖的是什么药，只好在不远处停了下来。大约一刻钟后，房子里突然传来尖锐的**吵闹声**。接着，大门嘭的一声被猛地推开，两个人冲了出来。一个是锥伯，另一个是一个年轻的小伙子，他就是房东太太的儿子阿瑟。

阿瑟一把揪住锥伯的衣领，将他掼倒在地，紧接着又是一脚，把锥伯直接踹到了大街上。阿瑟晃着手中的木棍，大声喝道："竟敢欺负我妹妹！看我怎么教训你！"原来锥伯先前说的私事，就是回来骚扰房东太太的女儿，真是本性难移啊！

见阿瑟动了真格的，锥伯吓破了胆，**连滚带爬**地拼命往街上跑。他一看到侯波停在附近的马车，就像见到了救星，一脚跳上车，忙不迭地说："快走！车夫！快去郝黎代旅馆！"

仇人相见

天哪，仇人居然自己送上门来了！侯波**喜出望外**，简直不敢相信自己的眼睛。**怦怦怦**，他的心跳得非常厉害，震得他脑袋发晕。他不得不深呼了一口气，尽量让自己平静下来。他载着锥伯，慢慢向前赶着马车，心中盘算着接下来该怎么办。

这时，锥伯的酒瘾又发作了，他看到前面有家酒馆，大声嚷道："喂！车夫，停车！等着我，我进去喝两杯，车钱少不了你的。"锥伯这个酒鬼，一碰到酒，就没了脑子，喝呀喝呀，一直喝到酒馆关门才摇摇晃晃地走出来。这时夜已经深了，风呼啦啦地吹，一场大雨即将来临。

看到锥伯**烂醉如泥**的样子，侯波忍不住在心里冷笑："大仇将报！"是一刀结束锥伯的性命吗？不，还是交给老天来决定吧。他随身带着一个小药盒，里面装了两粒药丸，看起来一模一样，但**一粒无毒，另一粒却有剧毒**。侯波想要做什么呢？他要让锥伯在这两粒药丸中选一粒，而剩下的那粒就留给自己。到底谁生谁死，就看**老天的安排**。

这些药丸是怎么来的呢？原来，在很久以前，侯波还在美国追踪仇人的时候，为了维持生计，曾经在某个大学的实验室里当过清洁工。有一天，在实验课上，侯波听到教授向学生介绍一种毒药药粉，侯波悄悄记下了药粉存放的位置，找机会偷偷倒了一点出来。他脑子相当聪明，花时间琢磨了一下，就把这些药粉做成了一粒粒的小药丸。另外，他又做了一些看起来一模一样的无毒药丸，把两种药丸搭配好，装在几个小盒子里。这些药丸，将决定他和仇人的命运。

风，越刮越大；雨，哗啦啦地从空中倾泻而下。马车在风雨中艰难前行，侯波一手驾着马车，一手紧紧攥着口袋里的小药盒，内心翻江倒海。他苦苦追踪了二十多年，是时候了结一切了！

他点燃了一支香烟，想平复自己的情绪，可夹烟的手还是不住地颤抖，太阳穴也突突乱跳。烟雾缭绕中，他仿佛看见了慈祥的费瑞尔和可爱的露茜正冲着他微笑呢！

到达目的地后，侯波转身往车厢里一看，只见锥伯侧躺在座位上，身子缩成一团，早已醉得不省人事。侯波努力镇定下来，摇了摇锥伯的肩膀，客气地说："先生，该下车了。"锥伯迷迷糊糊地回答道："好——的。"锥伯以为到了他要去的旅馆，笨拙地爬下车去，跟着侯波**踉踉跄跄**地走进了空房子前的花园。他醉得很厉害，头重脚轻，站立不稳。侯波不得不扶着他，带他走进了房间。

后来，锥伯终于认出了侯波，吓得浑身发抖。侯波又笑又骂，又喜又悲，全身的血液似乎都在往头上涌，太阳穴上的血管像铁匠挥舞着铁锤似的，突突突地跳个不停。随着情绪越来越激动，他的鼻血竟然流了出来。

他努力平复了心情，说："锥伯，你自己来做选择吧！看看世界上到底还有没有**公道**。"他把手伸进衣服口袋，掏出了一个小药盒。

上天的审判

最后，他们一人吞下一粒**药丸**。结局便是锥伯输了，他倒在地上，带着满身的罪孽离开了这个世界。

“呼——”侯波深深地呼出了口气。这时候，他发现自己的鼻血还在流个不停。他**灵机一动**，用手指蘸了鼻血，在墙上写下“RACHE”。侯波这么干，就是为了干扰警察办案。以前美国曾经发生过一起案件，凶手是一个秘密团体，他们就在案发现场留下了这几个字母。于是，侯波**如法炮制**，写下了同样的血字，他想着：“没准警察们会误以为这次也是什么秘密团体干的。”

写完血字后，侯波立刻赶着马车离开了那栋空房子。大雨还在一个劲地下着，路上一个人也没有。侯波下意识地把手伸进口袋里一摸：“糟糕！露茜的戒指呢？”他**大惊失色**，找遍全身，还是没找到。

难道是落在空房子里了？他立马掉头往回赶。其实他心里很清楚，这时候返回案发现场，很可能被人撞见。但戒指是露茜留下的**唯一的纪念物**，现在已经是侯波最宝贝的东西了。就算冒再大的风险，他也要去找回来！

不巧的是，侯波刚走近那栋房子，就碰上了查案的警察。他赶紧装成一个酒鬼，这才躲过一劫。

锥伯这个恶棍已经解决了，接下来，该轮到斯坦杰逊来接受**命运的审判**了。侯波知道斯坦杰逊住在郝黎代旅馆，那天清晨，他用梯子偷偷从窗户爬进了斯坦杰逊的房间。

侯波叫醒了睡梦中的斯坦杰逊，像死神一样冷漠地看着仇人，让他从两粒药丸中选一粒。斯坦杰逊不愿坐以待毙，抓起床头的小刀，直直地刺向侯波的咽喉。侯波劈手夺过武器，正好扎进了斯坦杰逊的胸膛。

二十多年的仇终于报了！侯波照旧赶了几天马车。他现在只想攒够路费，尽快坐船回美国。一天，他正在广场上休息，忽然看到一个脏兮兮的流浪儿在到处打听："各位先生，请问这儿有没有一个叫侯波的车夫？贝克街上有位先生想雇他的马车。""嘿！小孩儿！我就是侯波。"听到有生意上门，侯波完全忘了风险，高高兴兴地跟着小男孩走了。他根本没有料到，等待他的，居然是一副冰冷的**手铐**。

听完侯波这一段**惊心动魄**的复仇故事，房间里鸦雀无声，只能听到记录供词的笔落在纸上**沙沙沙**的声音。大家一声不响地坐在那里，沉默了好一会儿。

侯波的审判时间被安排在星期四，但他并没有等到法官们的裁决。福尔摩斯收到警察局传来的消息，侯波在被捕的当天夜里，**血管瘤破裂**，他安详地去世了，脸上带着平静的笑容。

福尔摩斯和华生在公寓里唏嘘不已。侯波到底是正义的化身，还是邪恶的代表呢？他曾经是悲惨的受害者，现在却成了杀人凶手。他虽然大仇得报，但他这二十多年的人生，却**因为报仇牺牲了一切**。假如露茜父女在天有灵，愿意看到侯波这样过完自己的人生吗？

福尔摩斯感叹道：“这个案子虽然简单，但还是有几点值得我们总结。”

“简单？你说它简单？”华生**情不自禁**地喊道。“是挺简单的呀！”福尔摩斯耸了耸肩膀。他看到华生满脸的惊讶的神情，解释道：“医生，你想，我没有依靠任何人的帮助，只是经过一番推理，就在三天内捉到了凶手，这案子还不简单吗？”华生若有所思地点了点头，说：“听你这么一说，好像是那么回事。不过，你怎么会找到侯波来帮你搬行李箱呢？你从哪里看出来，他是出租马车的车夫？”

车轮揭示的秘密

福尔摩斯慢条斯理地回答道：“医生，你还记得空房子前的**马车车轮印**吗？就是它提供了关键的线索。上次分析过，马车是前一天晚上经过这里的。”华生还是一脸纳闷：“这你上次说过了，但这和侯波是马车夫有什么关系呢？”“医生，车轮印透露出了**三个重要的信息**。第一，这些车轮印之间的间距很窄，说明这肯定是出租马车，因为在伦敦，家用马车的车轮印距离比这宽多了。第二，马儿在这附近有自由活动的痕迹，也就是说，马车停在这里的时候，有一段时间是没人看管的。那么，赶车的车夫，去哪里了呢？接着就是第三个重要的信息，马车停过的地方有两对脚印，它们一直延伸到了房子里。很显然，这两对脚印，一对是受害人的，另一对就是凶手的。你想想看，凶手和被害人是一起从马车上下来的，紧接着被害人就死了。有哪个凶手敢这么**明目张胆**地坐着出租马车来干这样的事呢？他就不怕车夫向警察举报吗？这三个重要信息告诉我，只有一种可能性，**凶手自己就是马车夫**。”福尔摩斯一边说，一边站起身，在客厅里踱着步子，像是在还原当时的画面。

华生屏住呼吸，听完了福尔摩斯的精彩分析，忍不住啧啧称赞：“一条在我看来被踩得乱七八糟的泥泞小路，竟然被你看出了这么多线索！不过，你怎么会连他叫侯波都知道呢？”福尔摩斯回答道：“你还记得吧？我们离开案发现场后，去拍了一封电报，受害人锥伯的名片上写着他在美国的地址。我给美国克利夫兰市的警察局长拍了封电报，问他关于锥伯的情况。警察局长回电告诉我，锥伯曾向警察局报案，说有个叫侯波的人正在追杀他。按他的说法，侯波目前正在欧洲。这么看来，侯波是马车夫的身份，就更容易解释了。他想要一边谋生，一边追查仇人的行踪，最合适的职业是什么？当然是出租马车的车夫。这么一来，案子的**来龙去脉**就清楚了。”

华生**恍然大悟**，但他还有不少问题要问：“你怎么知道凶手是个大红脸呢？”福尔摩斯耐心地回答道：“那是我从案发现场的血迹判断出来的，你想想看，屋里并没有打斗的痕迹，但有血迹的地方就有凶手的足迹，说明这血是从凶手身上流下来的。既然没有打斗，那就可能是凶手激动时流的鼻血。医生，你知道，很少有人会在激动时这样大量地流血，所以，我大胆地猜测，凶手可能是个血气旺盛的**红脸大汉**。事实证明，我的判断是正确的。”

华生发自内心地佩服福尔摩斯。

揭开所有谜团

华生继续发问："你在一开始就判断出，锥伯是**服毒**死的吗？你是怎么看出来的？"

福尔摩斯点点头，解释道："受害人肯定不是突发疾病自然死亡的，因为他**恐惧的表情**告诉我，在临死前，他已经预料到危险了。另外，受害人身上没有伤痕，所以也不是外力致死。还能有什么原因呢？十有八九就是服毒了。所以，我特意到他嘴角去闻了闻，果然闻到一点儿酸味。医生，这样的话，我是不是可以推断，他是被迫服毒，然后**一命呜呼**的？"

"你说得对极了！那凶手的作案动机呢？福尔摩斯，你怎么知道不是秘密团体的政治谋杀，或是图财害命什么的，而是一场**仇杀**呢？"华生追问道。

"医生，我们都清楚，死者身上的财物一点儿没少，那就说明，凶手肯定不是奔着钱来的。那就只有两种可能了：政治性的暗杀，或者报复性的仇杀。到底是哪一种呢？我当时更倾向于后一种。”

“为什么？”华生疑惑地问道。

“因为在政治性的暗杀中，凶手一旦得手，一定会立即逃走。但在这起案件中，凶手不慌不忙，案发后还留下了不少痕迹。所以，我判断这是一起仇杀案。当然，在发现那枚戒指之前，一切都只是我的猜测，戒指的出现印证了我的猜测。我想，凶手杀人应该是为了帮戒指的女主人复仇。至于墙上的血字，只是他故意布下的**迷魂阵**罢了。”

华生心头的疑云一点一点消散了，他只剩最后一个问题：“侯波完成复仇后，为什么不赶快辞掉马车夫的工作，而是等着你去抓呢？”福尔摩斯回答道：“你想想看，凶手本来是马车夫，如果他在案发后立刻辞职，是不是更容易惹人怀疑？他根本没料到自己暴露得这么快，还打算继续当一阵子马车夫，等案件的风头过了，再找机会离开。”

“所以你就在马车夫中寻找？福尔摩斯，你不是一直没出过门吗？”

“哈哈，我是没出过门，但你忘啦，我有贝克街侦查小分队呀。我让那些孩子去所有的**马车出租公司**打听车夫的情况。他们的活干得真漂亮！没多久就打听到了侯波这个人！医生你看，这个案子像是一环扣一环的链条，我的**观察推理法**不是骗人的吧？”

“妙极了！”华生**赞不绝口**，“福尔摩斯，你应该把你的破案思路公布出来，让大家都知道你的本事。你要是不想写的话，我来帮你写。”“医生，你想怎样办就怎样办吧。”福尔摩斯说着，递过来一张报纸，“你先看看这个！”

这是今天的报纸，上面写着：“谋杀锥伯先生和斯坦杰逊先生的嫌疑犯侯波已被逮捕，并在昨夜突然去世。案件的顺利侦破完全仰仗警察局知名侦探：雷斯垂德和葛莱森。此外，凶手是在福尔摩斯先生家中被抓获的。福尔摩斯是一名侦探顾问，在探案方面也有一点才能。福尔摩斯真是幸运，竟然能见到雷斯垂德和葛莱森两位导师，并得到他们的指点，福尔摩斯将来应该也能取得一定的成就。”

“胡说八道！这明明都是你的功劳！”华生不满地丢开了报纸。福尔摩斯大笑着说：“我早就预料到啦！所有功劳都会算在他们头上。”华生不服气地说：“不要紧，我已经把事情经过详细地**记在了日记里**。有一天，我还会把它们出版成书，到时候，全世界的人都会知道福尔摩斯的大名！”

很快，福尔摩斯和华生又迎来了新的案件。

大侦探福尔摩斯

图书在版编目（CIP）数据

大侦探福尔摩斯．血字谜案／（英）柯南·道尔（Arthur Conan Doyle）著；喵博士改编．—南京：译林出版社，2022.4（2022.6重印）

ISBN 978-7-5447-8989-9

Ⅰ.①大… Ⅱ.①柯… ②喵… Ⅲ.①侦探小说－英国－现代 Ⅳ.①I561.45

中国版本图书馆CIP数据核字（2021）第261255号

大侦探福尔摩斯：血字谜案［英国］柯南·道尔 ／ 著
喵博士 ／ 改编

策　　划　彭　波　龚文宇
本册撰写　何　敏　陈自萍　黄明晶
责任编辑　朱旭玲
装帧设计　宸唐工作室
校　　对　王　敏
插　　图　妙象童画
责任印制　颜　亮

出版发行　译林出版社
地　　址　南京市湖南路 1 号 A 楼
邮　　箱　yilin@yilin.com
网　　址　www.yilin.com
市场热线　025-86633278
排　　版　宸唐工作室
印　　刷　南京新世纪联盟印务有限公司
开　　本　890 毫米 × 1240 毫米　1/32
印　　张　4.5
版　　次　2022 年 4 月第 1 版
印　　次　2022 年 6 月第 3 次印刷
书　　号　ISBN 978-7-5447-8989-9
定　　价　28.00 元

版权所有 · 侵权必究

译林版图书若有印装错误可向出版社调换。质量热线：025-83658316

SHERLOCK HOLMES